EINFACH KLASSE!

ANNE FARRELL AND ALISON NOBLE

Oxford University Press

Oxford University Press, Walton Street, Oxford OX2 6DP

Oxford New York Toronto
Delhi Bombay Calcutta Madras Karachi
Petaling Jaya Singapore Hong Kong Tokyo
Nairobi Dar es Salaam Cape Town
Melbourne Auckland

and associated companies in
Berlin Ibadan

Oxford is a trade mark of Oxford University Press

First published 1986
Reprinted 1988, 1989

ISBN 0 19 912065 X

Acknowledgements

The publishers would like to thank the following for permission to reproduce photographs:

ADN-Zentralbild p.37 (bottom), p.40 (top); Foto Studio Hillis p.40 (bottom), p.63, p.84, p.89, p.100 (bottom); Ricky Hirshfield p.36; Gebr. Metz, Tübingen p.25 (all), p.30; William Rowlinson p.41 (right), p.53, p.95, p.96 (all except bottom right), p.100 (top), p.107, p.110; Hilda Schwickert p.12; p.26, p.65 (top and bottom left); Swiss National Tourist Office p.59.

All other photographs are by Clem Rutter.

The cover photograph is by kind permission of ZEFA Picture Library (UK) Ltd.

Illustrations are by Jan Lewis and Ian Dicks.

Phototypeset by
Tradespools Limited, Frome, Somerset
Printed in Great Britain by Thomson Litho Ltd., East Kilbride

Einfach Klasse!

Inhalt

Contents

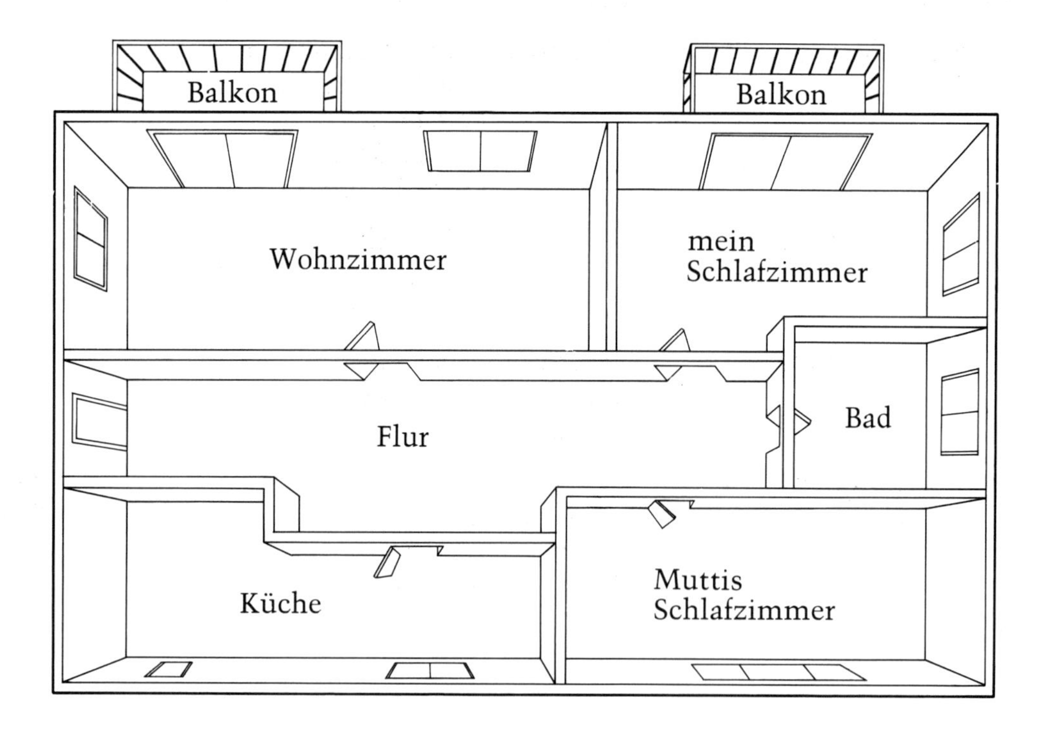

— Das ist unsere Wohnung. Komm 'rein! Hier links ist das Wohnzimmer, gegenüber liegt die Küche mit der Eßecke. Dann haben wir noch zwei Schlafzimmer, eins für mich und eins für meine Mutter. Und natürlich ein Bad. Komm, wir gehen gleich in mein Zimmer, und ich zeige dir meinen neuen Computer. Hier ist er auf dem Schreibtisch beim Fenster.

— Mensch, das ist ja ein tolles Poster dort an der Wand!

— Das da? Ja, das finde ich auch gut. Ich habe das aus Wales mitgebracht, da war ich letztes Jahr zu Ostern.

— Einfach Klasse! Sag mal, was ist das denn dort, neben deinem Kleiderschrank?

— Das ist ein Schaukelstuhl, den hat meine Mutter auf dem Flohmarkt gekauft.

— Oh, der gefällt mir gut!

Antworte auf englisch

1 What does the flat have?
2 Where is the computer?
3 Where is the poster from?
4 Who bought the rocking chair?

Was!	Wie?	
say what rooms you have	Wir haben	ein Wohnzimmer. ein Eßzimmer. ein Bad. eine Küche. eine Toilette.
ask where things are	Wo ist	dein Fernseher? euer Stereo? Ihre Toilette?
ask if things are there	Hast du ein Telefon? Habt ihr eine Dusche? Haben Sie einen Garten?	
admire something	Das ist toll! Das ist schön! Das ist einfach Klasse! Das gefällt mir gut.	

Welcher Satz ist richtig?

Choose the correct sentence and write it out.

1 a Das Eßzimmer ist neben dem Bad.
b Das Eßzimmer ist neben der Küche.
c Das Eßzimmer ist neben dem Schlafzimmer.

2 a Anke wohnt in einem Wohnblock.
b Anke wohnt in einem Einfamilienhaus.
c Anke wohnt in einem Reihenhaus.

3 a Im Schlafzimmer hat Felix viele Betten.
b Im Schlafzimmer hat Felix viele Tische.
c Im Schlafzimmer hat Felix viele Poster.

4 a Wo ist eure Waschmaschine?
b Wo ist eure Toilette?
c Wo ist eure Dusche?

5 a Das gefällt mir nicht so gut.
b Das mag ich gar nicht gern.
c Das ist einfach Klasse!

Kannst du lesen?

Read these five advertisements carefully, then answer the questions below in English.

1 a How many people can stay in these apartments?
b What facilities are there in each one?

Gästehaus „Luv un Lee"
Am Wasserturm 2 · Telefon 744
Bes.: Annegret und Manfred Schreiber

Behaglich eingerichtete Appartements für 4 bis 6 Personen. Jedes Appartement mit Loggia, Fernseher, Telefon, Radio.
Im Haus gemütlicher Aufenthaltsraum, Fernsehzimmer, Spielraum, Tischtennisraum, Fahrstuhl, Waschmaschine, Trockner.

2 a What facilities are offered here?
b How many people can stay in each apartment?

Gästehaus „Norderriff"
Willrath-Dreesen-Straße 25 · Telefon 6050 + 361

Komfortable, moderne Appartements für zwei und drei Personen, mit Telefon, Fernseher, Radio, Balkon oder Terrasse. Zwei Aufenthaltsräume mit kleiner Bar. Strandnah in ruhiger Lage. Besonders zu empfehlen für ruhebedürftige Ehepaare.
Waschmaschine, Trockner.
Hallenschwimmbad.

3 a How many rooms are there in each one of these flats?
b What does the advertisement tell you about the furnishings?

Komplett eingerichtete Zwei- und Dreizimmer-Wohnungen von ca. 55 m² bis ca. 78 m². Jede ein echtes Urlaubs-Zuhause. Mit vollkommen ausgestatteter moderner Einbauküche. Exklusiv zum Wohlfühlen: Das geräumige Wohnzimmer mit Eßplatz, meist mit Balkon oder Terrasse. Auch Schlaf- und Kinderzimmer sind großzügig bemessen und komfortabel möbliert. Jede Wohnung hat Bad und WC. Und einen Abstellraum, damit Sie Freizeitgeräte oder Ihre Sportausrüstung einfach wegräumen können. Daß Sie in diesen Ferienwohnungen der Spitzenklasse Farb-TV haben, ist eigentlich selbstverständlich.

4 a What special sports programmes does Axam offer?
b How long can four persons stay for DM 50,00?

Familienfreundlich und preisgünstig – Privatzimmer mit Frühstück ab DM 13,– pro Person und Tag oder Ferienwohnung für 4 Personen ab DM 50,– Miete pro Tag. Tennisintensivprogramm – Aktivprogramm mit Wandern – Seniorenangebote. Fremdenverkehrsverband Axams – Axamer Lizum/Tirol, Tel. (0043 5234) 81 78 oder 71 58

5 **a** Describe the one-room flat.
b How much does a two-room flat cost per day?
c What special offers are available?

In dieser modern eingerichteten Appartement-Anlage finden Erholungssuchende jeden Komfort zu erstaunlich günstigen Preisen. – Schwimmhallen, Sauna, Solarium, Fitnessgeräte, Minigolf, Tischtennis, Kinderspielplatz, Kontakt- und Gemeinschaftsräume, Skischule, Rodelgelände, Terrassen-Café-Restaurant, SB-Einkaufszentrum. ● Umfangreiches Ausflugs- und Veranstaltungsprogramm.

▶ Ungezwungene Ferienfreuden in den eigenen vier Wänden erleben – gehört zu den Annehmlichkeiten einer modernen Ferienwohnung.

Einraum-Appartement für 2–3 Personen (ca. 38 qm Wohnfläche) mit allem Komfort, Wohn-Schlafraum mit Doppelbett-Schrankwand, Bettcouch, 2 Sesseln, Couchtisch, Eßgruppe, Radio u. Fernseher, komplett eingerichtete Küche u. a. mit Kühlschrank und 3-Platten-E-Herd, Dusche, WC, Zentralheizung, Balkon.

Zweiraum-Appartement für 4–5 Personen (ca. 53 qm Wohnfläche). Ausstattung wie Einraum-Appartement, jedoch ein kompl. Doppelschlafzimmer zusätzlich.

Komplett eingerichtete Ferienwohnungen einschließlich Radio und Fernseher, Strom, Heizung und Wäsche, sowie Schwimmhallen-Benutzung, können ab DM 34.– für 2 Personen, und ab DM 45.– für 4 Personen gemietet werden.

▶ Empfehlenswerte, preisgünstige Urlaubsangebote, wie – 3 Wochen wohnen zum 2-Wochenpreis, 21 Tage zum 17-Tagepreis und 14 Tage zum 12-Tagepreis – bietet der **FERIENPARK GEYERSBERG** zu verschiedenen Jahreszeiten. – Nähere Angaben in der Preisliste.

Kannst du mehr?

The following families are looking for a holiday flat. Choosing from the advertisements above, which flat would you suggest for each one? Give your reasons. Which flat would you choose for yourself and your family?

1 The Altmans

Audrey, 36, secretary
Andrew, 16, about to start college
Angela, 14, at school
Anthony, 12, at school

A lively family, all learning German. A single parent, Audrey doesn't have much money.

2 The Browns

Basil, 49, teacher
Beryl, 49, social worker

They like swimming and walking. This is their first holiday on their own since they married 24 years ago. They speak some German.

3 The Crawfords

Cheryl, 34, housewife
Charles, 35, mechanic
Carolyne, 12, at school
Claire, 12, at school

Sports fanatics. They like walking, forests, mountains, and also watching TV. Carolyne and Claire are learning German at school.

4 The Daniels

Derek, 63, retired
David, 39, publican
Debbie, 40, publican
Darren, 13, at school

They love all sports, especially tennis and swimming, although Derek finds he is less agile now he is getting older.

Kapiert?

As you listen to Michael describing his room, look at the diagram below. Decide which letter represents which piece of furniture, and write it down in English.

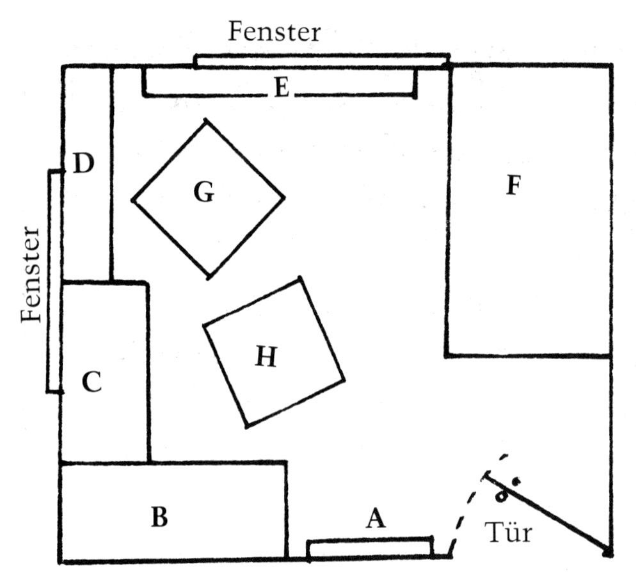

Möbel

das Bett
das Bord
das Bücherregal
der Haken
der Kleiderschrank
der Schreibtisch
der Sessel
die Stereoanlage

Und jetzt du!

Partner **A** is showing **B** his/her flat

1 Say hello, come in.
3 Show **B** the living room.
5 Show **B** the kitchen.
7 Say no, you eat in the kitchen.
9 Say it is next to the living-room.
11 Say it is next to the bathroom.
13 Say yes.

Partner **B**

2 Say hello and thank you.
4 Say it is nice.
6 Ask if **A** has a dining-room.
8 Ask where **A's** bedroom is.
10 Ask where the toilet is.
12 Ask if **B** has a shower.
14 Say you like the flat.

Beschreibe dein Schlafzimmer!

Wo ist dein Bett?
Welche Farbe haben die Vorhänge?
Und der Teppich?
Hast du einen Fernseher im Schlafzimmer?
Was ist an den Wänden?
Ist das Zimmer groß oder klein?
Wie viele Fenster hat dein Zimmer?

Ein Brief von Felix

Read Felix's letter below then answer the questions in English.

Lieber Jason,

ich freue mich schon wahnsinnig auf Deinen Besuch. Dummerweise kommt meine Schwester zur gleichen Zeit zu Besuch nach Hause, und Du und ich müssen mein Zimmer teilen. Aber das macht nichts, denn es ist ganz schön groß. Ich schicke Dir ein Bild.

Wie Du sehen kannst, habe ich zwei große Fenster, die auf den Park schauen. Links an der Wand steht mein Bett. Vor dem Fenster steht mein Schreibtisch. Daran mache ich meine Hausaufgaben, und darauf steht auch mein Computer.

Die Couch zwischen den beiden Fenstern läßt sich in ein Bett umwandeln. Darauf kannst Du schlafen oder, wenn Du lieber willst, kannst Du mein Bett haben. Ich mache Dir Platz in meinem Kleider-schrank für Deine Sachen. Der Kleiderschrank steht rechts neben der Tür. Du kannst ihn auf dem Bild nicht sehen.

Meine Mutter sagt, daß wir für Deinen Besuch den kleinen Schwarzweißfernseher aus ihrem Schlaf-zimmer haben können. Gut, nicht?

Bis bald. Gute Reise,

Felix

1 Who is coming to visit Felix?
2 Who else will be there at that time?
3 Where will Jason sleep?
4 How many windows does Felix's room have?
5 What is the view of?
6 Which side is his bed on?
7 What is on the desk?
8 Where can Jason sleep?
9 What is next to the door?
10 What will they be allowed to have in the room?

In der Jugendherberge

Das ist eine Jugendherberge in der Nähe von Siegen in der Bundesrepublik Deutschland. Diese Herberge heißt Freusburg und ist in einer alten Burg.

Jugendherbergen gibt es in ganz Europa —

— in der Bundesrepublik

— in Großbritannien

— in Frankreich

— in der Schweiz

— und in Österreich.

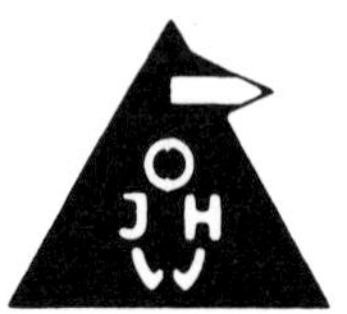

Junge Leute können für sehr wenig Geld hier übernachten. Du mußt einen Ausweis haben.

D JH DEUTSCHES JUGENDHERBERGSWERK Member of International Youth Hostel Federation

MITGLIEDSAUSWEIS
Membership Card

18.5.64 — Geburtsdatum

Snr — Mitgliedsgruppe

Foto

Koch, Thomas
Familienname, Vorname, Titel – Schule oder Organisation

Leipzigerstraße 25
Straße und Hausnummer

6300 — Postleitzahl

Gießen — Wohnort

Postamt

Ich (wir) habe(n) mich (uns) zur Einhaltung der Hausordnung und Benutzungsbestimmungen für Jugendherbergen verpflichtet

1.3.86 — Datum

T. Koch — Unterschrift

D JH | 1986 | I YHF

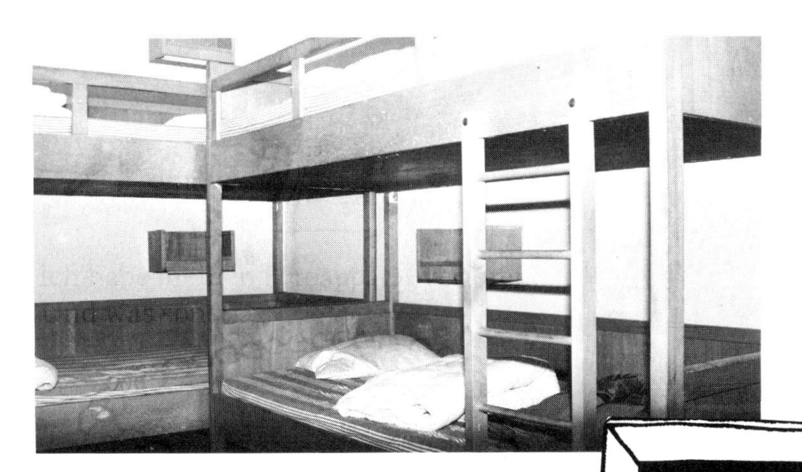

In einer Jugendherberge schläfst du in einem großen Schlafraum, für Jungen oder für Mädchen.

Du kannst in der Küche kochen oder Frühstück und Abendbrot kaufen. Hier ist das Menü für heute Abend.

Heute könnt ihr Bratwurst mit Pommes frites und Tomatensalat essen.

Im Tagesraum kannst du andere junge Leute kennenlernen, Karten spielen, lesen oder Schallplatten hören. Wenn es schön ist, kannst du sogar draußen tanzen!

Rätsel

Was kannst du in diesen Räumen machen?

ÜHEKC  Hier kannst du ____.

HAMUCLARSF  Hier kannst ____ ____.

ßZEMERMI  Hier ____ ____ ____.

GUMARESAT  Hier ____ ____ ____.

Welche Herberge?

Anna fährt in die Schweiz. Sie hat nicht sehr viel Geld und will in Jugendherbergen übernachten. Sie fährt mit dem Zug und sucht kleine Jugendherbergen, die nicht zu weit vom nächsten Bahnhof sind. Sie will für sich selbst kochen und sucht also Jugendherbergen, die eine Küche haben. Diese Symbole im Jugendherbergverzeichnis helfen viel.

Jugendherberge und Adresse
youth hostel and address

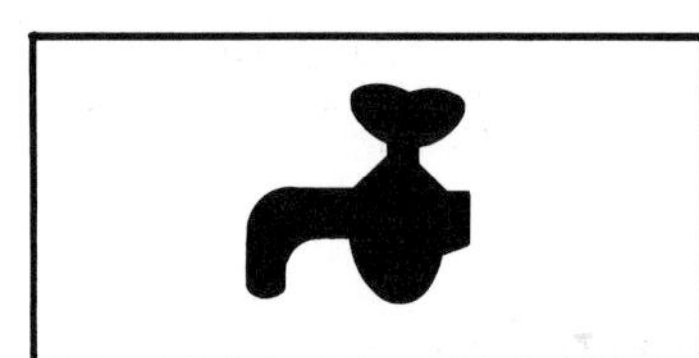

Warmwasser
hot water

Kiosk
shop

geschlossen vom … bis …
closed from … to …

Duschen
showers

Badegelegenheit
swimming nearby

Übernachtungstaxe
cost per night

Voranmeldung
advance booking

Wintersport
winter sports

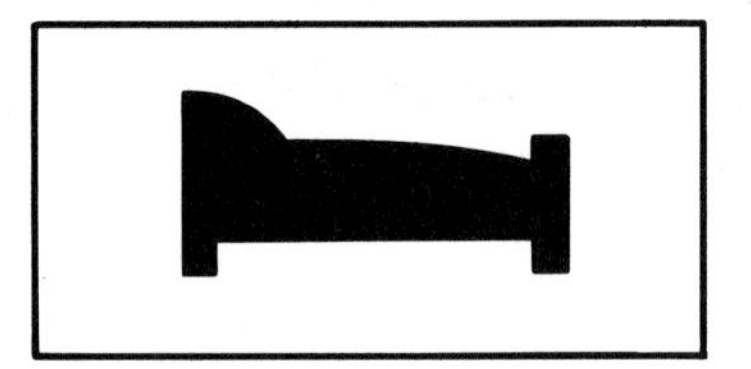

Anzahl Betten
number of beds

Kochgelegenheit (Küche)
cooking facilities

nächster Bahnhof
nearest railway station

Tagesraum
day room

Mahlzeiten
meals

Omnibus
bus

Welche Herberge würdest du Anna empfehlen? (Which hostel would you recommend for Anna?)

Arosa Hubelstrasse. 7050 Arosa (Graubünden). **X**: 20.4-15.6. 15.10-30.11 & 10.00-17.00 h 170 (Su) (max 15 pers. – except/*sauf*/ausser/*excepto* "") 10 min 2 min ☎ 081/311397. Alt 1800 m. **(N 34)** **R**

Engelberg Berghaus. 6390 Engelberg (Obwalden). **X**: 1.5-20.5. 1.10-15.12 (except/*sauf*/ausser/*excepto* "") & 10.00-17.00 h 150 (C) 10 min e("") (1.5-20.5. 1.10-15.12) ☎ 041/941292. Alt 1003 m. **(N 34)** **R**

Hospental 6493 Hospental (Uri). **X**: 15.9-14.6 (except/*sauf*/ausser/*excepto* "") & 10.00-17.00 h 60 10 min 5 min e("") (15.9-14.6) ☎ 044/67271. 67884. Alt 1500 m. **(N 34)** **R**

Zermatt 3920 Zermatt (Wallis). **X**: 1.5-31.5. 1.11-15.12 & 09.00-17.00 h 146 (except/*sauf*/ausser/*excepto* "") 20 min ☎ 028/672320. Alt 1620 m. **(N 32)** **R**

Ich möchte ein Bett reservieren...

4

ACHTUNG!

There are two ways of setting out the first sentence in a letter.

Either: Sehr geehrter Herr,
ich möchte ein Bett reservieren.

Or: Sehr geehrter Herr!
Ich möchte ein Bett reservieren.

Wenn du ein Bett reservieren willst,
mußt du dem Herbergsvater schreiben.
Kannst du ein Bett für dich reservieren?
Schreibe einen Brief!

Sehr geehrter Herr, ich möchte ein Bett reservieren. Ich bin ein Mädchen und bin 15 Jahre alt. Ich bin Engländerin. Ich möchte vom 3. bis zum 6. August bleiben. Meine Adresse ist:

3 Leopold Ave,
Manchester 20
M20 8JG
Großbritannien

Mit freundlichen Grüßen,
Anna Kay

Nationalität

Not all the people you meet in a German youth hostel will be German, and they may not guess your nationality correctly. Here are some useful nationality words.

Wo?	Was?	Wer?	
Amerika	amerikanisch	Amerikaner	Amerikanerin
Deutschland	deutsch	Deutscher	Deutsche
England	englisch	Engländer	Engländerin
Frankreich	französisch	Franzose	Französin
Holland	holländisch	Holländer	Holländerin
Irland	irisch	Ire	Irin
Italien	italienisch	Italiener	Italienerin
Österreich	österreichisch	Österreicher	Österreicherin
Schottland	schottisch	Schotte	Schottin
Schweiz	schweizer	Schweizer	Schweizerin
Spanien	spanisch	Spanier	Spanierin
Wales	walisisch	Waliser	Waliserin

Remember that most Europeans do not distinguish between British and English, and although your official nationality is **britisch** if you are filling in a form, many people will refer to you as **der Engländer** or **die Engländerin** even if you are not English. So don't be offended!

Using this map, give each person's nationality and say where he/she comes from.

Beispiel: Sean ist Ire.

Er kommt aus Irland.

Was?	Wie?
say you'd like to stay the night	Ich möchte übernachten. Wir möchten übernachten.
ask if they have room	Sind noch Betten frei?
say when you will arrive	Ich komme am Dienstag an. Wir kommen am 21.Juli an.
say how long you will stay	Ich bleibe bis Freitag. Wir bleiben bis zum 17.Mai.

Kapiert?

Petra is phoning the warden of Freusburg Youth Hostel. Choose the correct answers.

1 Petra wants a bed
- **a** tomorrow.
- **b** next week.
- **c** next month.

2 She will be travelling
- **a** with another girl.
- **b** with a boy.
- **c** on her own.

3 She expects to arrive on
- **a** Thursday, 7 July.
- **b** Thursday, 8 July.
- **c** Tuesday, 8 July.

4 She hopes to stay until
- **a** Friday, 11 July.
- **b** Friday, 12 July.
- **c** Monday, 11 July.

5 Her full name is
- **a** Petra Küller.
- **b** Petra Kirschner.
- **c** Petra Körner.

Das ist neu

Was wünscht ihr?	What do you want?
Wie viele seid ihr?	How many of you are there?
Wann kommt ihr an?	When are you arriving?
Wann bist du geboren?	When were you born?
Darf ich deinen Ausweis sehen?	Can I see your membership card?

An der Anmeldung

Herbergsvater: Guten Abend. Was wünscht ihr?
Claudia: Wir möchten übernachten. Sind noch Betten frei?
Herbergsvater: Wieviele seid ihr?
Axel: Nur zwei, ich und meine Freundin.
Herbergsvater: Also ein Junge und ein Mädchen. Das geht noch. Wie heißt ihr?
Claudia: Claudia Rohr und Axel Mainz.
Herbergsvater: Also Rohr, Claudia und Mainz, Axel. Wann bist du geboren, Claudia?
Claudia: Am elften Mai 1974 (neunzehnhundertvierundsiebzig).
Herbergsvater: Und du, Axel?
Axel: Ich bin am dreiundzwanzigsten Februar 1973 (neunzehnhundert-dreiundsiebzig) geboren.
Herbergsvater: Und woher kommt ihr?
Axel: Aus Freiburg.
Herbergsvater: So. Gut. Darf ich bitte die Ausweise sehen?
Claudia: Bitte schön.
Herbergsvater: Danke. Wie lange bleibt ihr?
Axel: Bis Donnerstag, wenn es geht.
Herbergsvater: Okay. Braucht ihr Schlafsäcke?
Claudia: Danke. Die haben wir mitgebracht. Wo sind die Schlafräume?
Herbergsvater: Du bist im Schlafraum Nummer 4, und du, Axel, im Schlafraum Nummer 8. Geht nach oben. Die Mädchenschlafräume sind links und die Jungenschlafräume sind rechts.
Claudia: Und wo sind die Waschräume?
Herbergsvater: Gleich neben deinem Schlafraum.
Claudia: Vielen Dank.
Axel: Noch eine Frage. Wann gibt es Abendbrot?
Herbergsvater: Um 7. Das Eßzimmer ist gleich hier.
Axel: Recht schönen Dank. Bis später.
Herbergsvater: Bitte schön.

ein Junge

drei Jungen

ein Mädchen

zwei Mädchen

Was hast du verstanden?

1 What is the boy's name?
2 Is Claudia his sister?
3 When was Axel born?
4 Where do they both live?
5 Until when do they hope to stay?
6 How do you get to the girls' dormitories?
7 What is next to Claudia's room?
8 What happens at 7 o'clock?

Rätsel

Match up the broken halves of each question and write the complete questions into your exercise book.

Now you have found the questions, can you find the English equivalents?

1 How many of you are there?
2 Where are the washrooms?
3 When were you born?
4 Have you any room?
5 Can I see your membership card?
6 What time is supper?
7 How long are you staying?
8 Where do you come from?

Now see if you can find the most suitable answer for each question.

a Um sieben Uhr.
b Eine Nacht.
c Am 12. November 1974.
d Aus Irland.
e Wir sind drei.
f Ja.
g Oben links.
h Bitte schön.

Und jetzt du!

A ist der Herbergsvater.

B ist der Gast.

1 Say good evening.

2 Reply.
Ask if he has room for you.

3 Ask for how many people.

4 There are two of you, a boy and a girl.

5 Say that will be all right.
Ask how long they are staying.

6 You want to stay till Saturday.

Und wieder du!

With your partner, act out further conversations as you book into a hostel. Each choose one of the situations shown in the pictures below, and take turns to be the warden.

1

2

3

4

Kannst du mehr?

You are hostelling with two friends in Austria. Act out the conversation you have with the warden when you arrive without having booked.

Find out:
- if there is room for you
- how long you can stay
- if there is a hostel shop
- what time meals are
- where the various rooms are

Und noch mehr!

Here are the details of Freusburg Hostel from the German youth hostel handbook.

Read the information, then say why this hostel is so popular with youth hostellers.

Jugendherberge Freusburg

In den Ferienzeiten und an den Wochenenden ist die Freusburg ein beliebtes Ziel für Jugendgruppen und Familien. Auch für Schullandheimaufenthalte ist die Freusburg wegen ihrer landschaftlich schönen Lage und den günstigen Bedingungen sehr geeignet. Sportplätze, eigene Tagesräume, Freibad, Möglichkeiten für Lagerfeuer, Nachtwanderungen, Volkstanz- und Singegruppen, Flügel, Klavier, Akkordeon, Gitarren, Tischtennis, Film- und Diaprojektor stehen zur Verfügung.

Wiederholung Eins

Lieber Vati, liebe Mutti,
Ich bin schon eine Woche hier in Swanage. Die Jugendherberge ist groß und modern. Die Duschen und Waschräume sind sehr sauber und schön. In meinem Schlafraum sind sechs Betten. Außer Felix und mir sind hier noch zwei Italiener, ein Ire und ein Engländer. Insgesamt ist hier Platz für 70 Personen. Im Gemeinschaftsraum haben wir zwei Französinnen kennengelernt. Mit denen gehen wir heute nachmittag schwimmen.
Viele Grüße, Euer Christoph

Familie Kassel
Mozartstraße 48
6505 Nierstein
Federal Republic of Germany

Antworte auf englisch

1 Where is Christoph from?
2 Where is he staying?
3 How long has he been there?
4 Give five facts about the youth hostel.
5 Where are the people in his dormitory from?
6 What are his plans for the afternoon?

Kapiert?

A family is being shown round a holiday house.
Listen carefully to the agent's description of it and to their reactions.
Write down the order of the rooms they are shown.
Next to each room, put a tick if they like it and a cross if they don't. There are seven rooms altogether.

Und jetzt du!

With a partner acting the part of youth hostel warden, make bookings for the following people.

NOW YOU ARE READY FOR WAYSTAGE 1.

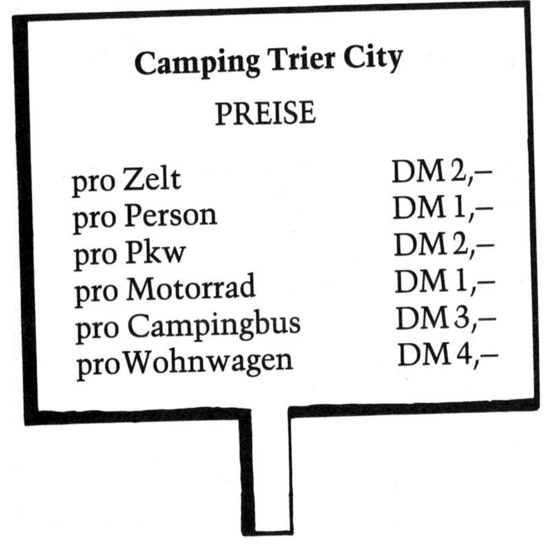

das Zelt

die Person

der Pkw
(Personenkraftwagen)

das Motorrad

der Campingbus

der Wohnwagen

Ask and answer questions about the cost of staying at this site.
Beispiel: — Was kostet das pro Zelt?
— Das kostet zwei Mark pro Nacht.

Kapiert?

Copy the grid below. As you listen to the tape, fill in the details of each booking. The first one is begun for you.

							DM
Familie Braun	6	–	1				
Familie Roth							
Familie Allendorf							

Platz reservieren

Köln, den 10. Juni

Sehr geehrte Damen und Herren!

Ich möchte Platz für einen Campingbus und ein Zelt reservieren. Wir sind sechs Personen und wollen am 12. Juli ankommen und bis zum 26. bleiben.

Hoffentlich haben Sie für uns Platz.

Mit freundlichem Gruß

Nicola Schmidt

Das ist neu

Sehr geehrter Herr Schwarz	Dear Mr Schwarz
Sehr geehrte Frau Schmidt	Dear Ms Schmidt
Sehr geehrte Damen und Herren	Dear Sir or Madam
Mit freundlichem Gruß	Kind regards

Campingplatz Bellevue

Seestraße, Beinwil am See

Tel. 064-71-18-92

Eberswil, den 15.Juni

Sehr geehrte Frau Schmidt,

danke für Ihren Brief vom 10.Juli. Ich habe einen Platz für Ihren Campingbus und für das Zelt reserviert. Ich lege einen Plan bei, damit Sie unseren Campingplatz leicht finden, und freue mich darauf, Sie am 12.Juli zu sehen.

Mit freundlichem Gruß

E. Schwarz

Eberhard Schwarz

Richtig oder falsch?

Schreibe sechs korrekte Sätze.

Decide which sentences are true. Rewrite the false ones so you have six correct sentences in your exercise book.

1. Nicola Schmidt ist eine Frau.
2. Sie hat einen Wohnwagen und ein Zelt.
3. In ihrer Familie sind sieben Personen.
4. Sie kommen am zwölften Juli in Eberswil an.
5. Sie bleiben bis zum ersten August.
6. Herr Schwarz legt einen Plan bei.

Was?	Wie?
ask if there is a campsite nearby	Ist hier in der Nähe ein Campingplatz?
ask where you can camp	Wo kann ich hier zelten? Wo können wir hier zelten?
ask if you may camp here	Darf ich hier zelten? Dürfen wir hier zelten?
say there is a campsite in Küssnacht	In Küssnacht gibt es einen Campingplatz.

Kapiert?

Hier ist ein Plan von Küssnacht am Rigi. Wo dürfen Christian und Bernd zelten: **A**, **B**, oder **C**? Sie gehen ins Verkehrsamt …

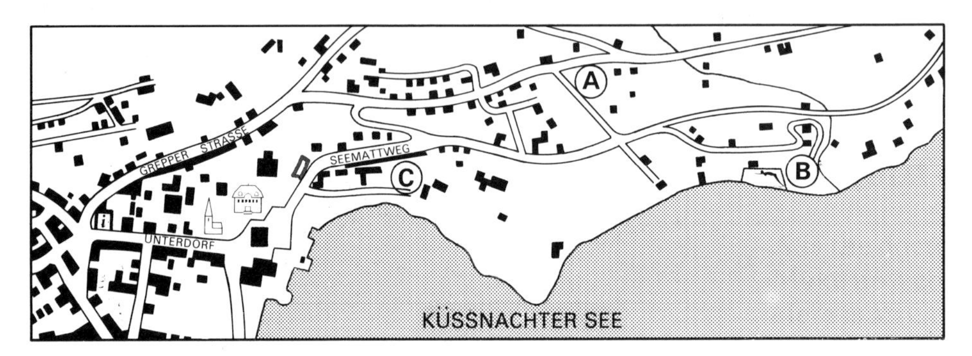

Gruppenarbeit

Imagine you and your friends have just arrived at Camping Trier City. Work with two or three friends, and keep one book open at the price list on page 22. Take turns to act the part of the site attendant, part **A**. The rest of you take part **B**, the campers. You can take turns to answer.

A	B
1 Say good afternoon. Ask what they want.	**2** Say you'd like to camp.
3 Ask how many people there are.	**4** Reply.
5 Find out how long they intend to stay.	**6** Reply.
7 Say that will be OK.	**8** Ask what it will cost.
9 Reply, using the price list.	**10** Say that will be OK.

Act out several similar scenes, so everyone has a chance to be the site attendant.

Im Hotel

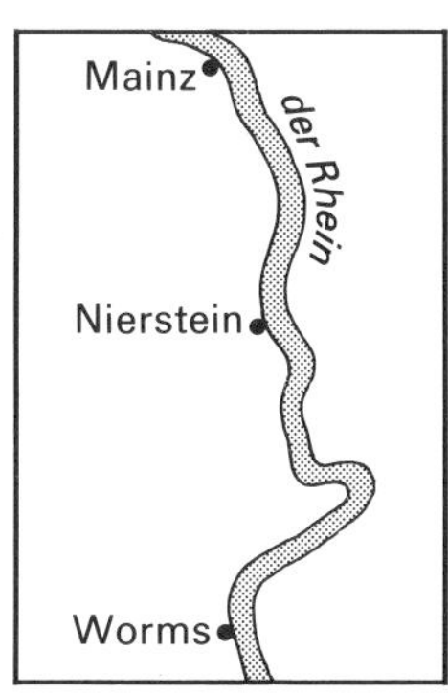

Hier ist das Rheinhotel in Nierstein. Es liegt natürlich am Rhein, zwischen Mainz und Worms.

Auf der Terrasse kann man im Sommer gut sitzen, Wein trinken oder ein Eis essen und die Schiffe auf dem Rhein beobachten.

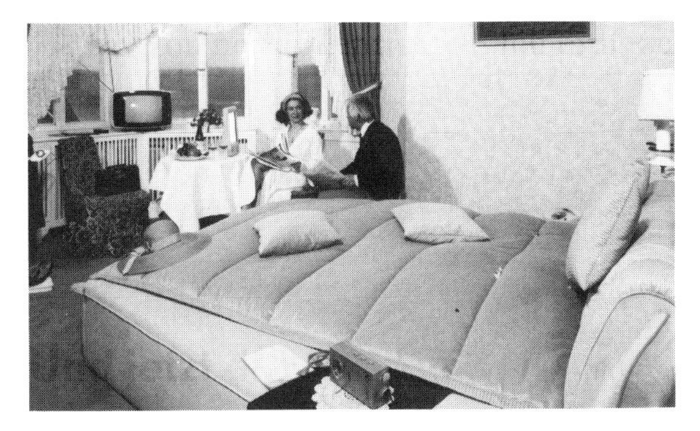

Das Rheinhotel hat zwölf Doppelzimmer und sieben Einzelzimmer. Hier ist ein Doppelzimmer

Und hier ist die Dusche, die zu dem Zimmer gehört. Auf dem Bild kann man nur das Waschbecken sehen.
Jedes Zimmer hat Dusche, Toilette, Telefon, Farbfernseher und einen Radiowecker.
Das Rheinhotel gehört der Familie Platen.

Wir bieten Ihnen in bester Lage: *Platens Gastlichkeit*

- Zimmer zum Wohlfühlen mit Dusche, WC, Telefon, Farb-TV, Radiowecker
- Frühstücksbuffet
- Prämiierte Küche
- Größte Rheinhessen-weinkarte der Welt
- Tagungsmöglichkeiten
- Kellerweinproben bei Kerzen-schein
- Weinversand ab 6 Flaschen

Sonderpreise:
vom 15. 11.–15. 3.
Kinderermäßigung ganzjährig
Mini-Gruppen-Programm
ab 7 Personen
Familie Platen

ein Einzelzimmer mit Dusche

ein Doppelzimmer mit Bad

Das ist neu	
Wie lange möchten Sie bleiben?	How long do you wish to stay?
Wieviele Personen sind Sie?	How many of you are there?
Ihr Schlüssel bitte.	Here is your key.

Kapiert?

Antworte auf englisch.

1 Where do you think Frau Braun is?
2 Does she want a single or a double room?
3 Does she want a bath or a shower?
4 What number is her room?
5 How long is she staying?

Was ist richtig?

Find the correct answer to each question. Choose from the box on the right.

1 Wie heißt die Frau?
2 Wie viele Zimmer hat sie reserviert?
3 Was für ein Zimmer will sie?
4 Wie lange bleibt sie?
5 Welche Nummer hat ihr Zimmer?

a Ein Doppelzimmer mit Bad.
b Sie heißt Braun.
c Vier Nächte.
d Nummer zwanzig.
e Drei Nächte.
f Eins.
g Sie heißt Klein.
h Ein Einzelzimmer mit Bad.
i Nummer zwölf.
j Zwei.

Was?	Wie?
say you have booked a room	Ich habe ein Zimmer reserviert.
ask if they have rooms available	Haben Sie Zimmer frei?
ask for a single room / a double room with bath / with shower / without bath	Ich möchte ein Einzelzimmer / ein Doppelzimmer mit Bad. / mit Dusche. / ohne Bad.
ask about mealtimes	Wann gibt es Frühstück? / Mittagessen? / Abendessen?
ask someone's name	Wie ist Ihr Name bitte?

Am Empfangstisch

Mann: Guten Tag. Mein Name ist Klein, Hans Klein. Ich habe ein Zimmer reserviert.
Frau: Herr Klein? Oh, ja, ein Einzelzimmer mit Dusche, nicht wahr?
Mann: Ja richtig.
Frau: Und Sie bleiben eine Woche.
Mann: Ja.
Frau: So, das ist Zimmer Nummer 19, im ersten Stock. Ihr Schlüssel bitte.
Mann: So, danke schön.
Frau: Bitte schön.

Und jetzt du!

A ist der Gast.

1 Say good evening.
Give your name.
3 Say you have reserved a room.
5 Say that's right.
7 Ask where that is.
9 Say thank you.

B arbeitet am Empfang.

2 Say good evening.
4 Check that it was a single with bath.
6 Give the room number.
8 Say which floor it is on.
10 What should you say now?

Now swap roles and make up another dialogue. This time the guest might want a different type of room. Use the clues below to ask for your room.

Was wünschen Sie?

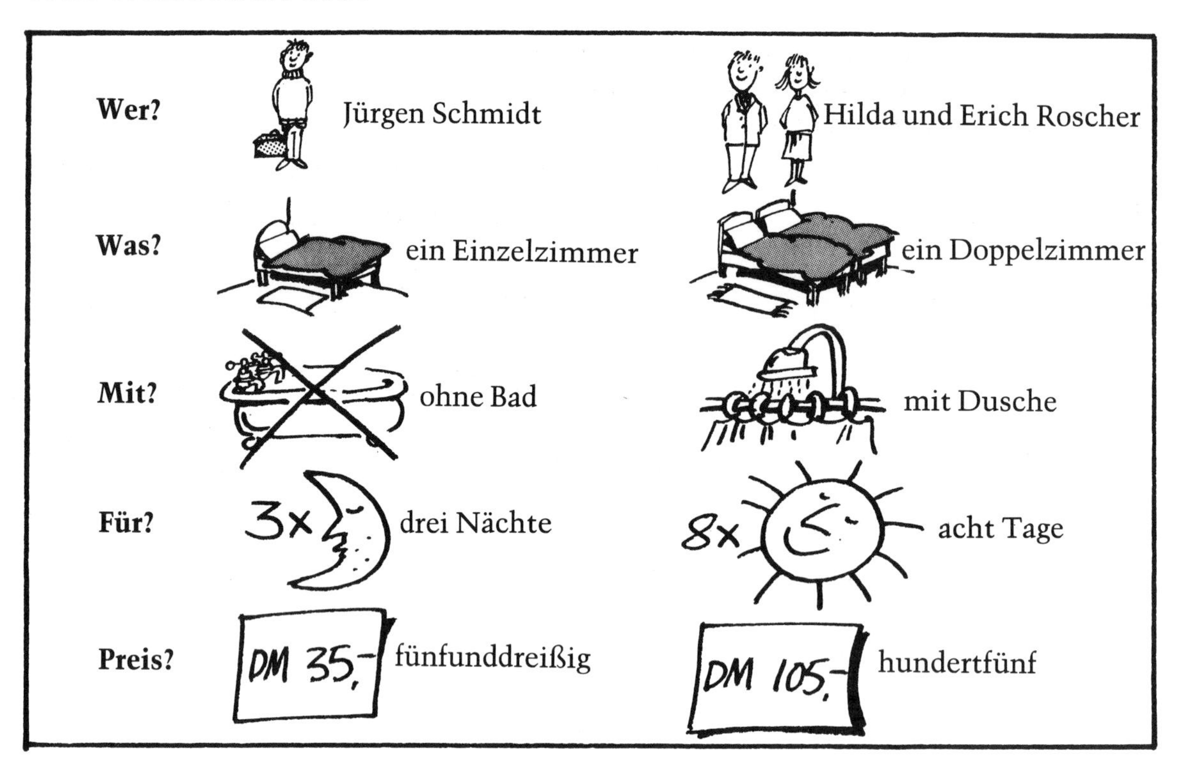

Empfang: Guten Tag. Was wünschen Sie?
Mann: Haben Sie ein Zimmer frei?
Empfang: Ein Einzelzimmer?
Mann: Ja bitte.
Empfang: Mit oder ohne Bad?
Mann: Ohne.
Empfang: Zimmer Nummer 34 ist frei. Das ist im dritten Stock.
Mann: Und was kostet das?
Empfang: DM 35 pro Nacht.
Mann: Gut, das nehme ich.
Empfang: Schön. Wie lange bleiben Sie?
Mann: Drei Nächte.
Empfang: In Ordnung. Und wie heißen Sie?
Mann: Schmidt, Jürgen Schmidt.
Empfang: So, hier ist der Schlüssel.
Mann: Danke schön.
Empfang: Bitte schön.

Und jetzt du!

With your partner, act out the conversation between the receptionist and Hilda or Erich Roscher.

Zum Ausfüllen

Du bist in Deutschland. Du gehst in ein Hotel. Du willst ein Zimmer. Am Empfang mußt du dieses Formular ausfüllen. Was schreibst du?

NAME:	VORNAME/N: ....
GEBURTSDATUM:	PASSNUMMER: ....
WOHNORT:	POSTLEITZAHL: ....
DATUM:	UNTERSCHRIFT: ....

Was kannst du über diese Personen schreiben?

Name:	Weller
Vorname/n:	Katya
Wohnort:	Münster
Datum:	12.7.
Unterschrift:	K. Weller

Sie heißt ____ ____.

Sie kommt aus ____.

Name:	Lenz
Vorname/n:	Olaf Carsten
Wohnort:	Kiel
Datum:	21. 8
Unterschrift:	O.C. Lenz

Er ____ ____ ____ ____.

____ kommt ____ ____.

Can you make up some examples of your own?

Und jetzt du!

Partner **A** is one of the above guests. Partner **B** is the hotel receptionist, and has to fill in the form. Ask and answer questions as politely as you can.

Im Restaurant

6

Habt ihr Hunger? Möchtet ihr gut essen? Hier ist ein Restaurant. Es ist das Restaurant vom Rheinhotel in Nierstein.

Hier kann man drinnen oder draußen auf der Terrasse sitzen.

Es gibt Tische für zwei Personen, für vier und für sechs Personen. Man kann einen Tisch am Fenster oder in der Ecke bekommen.

Im Restaurant arbeiten Kellner und Kellnerinnen. Wenn man „Fräulein bitte" ruft, kommt die Kellnerin. Zum Kellner sagt man am besten „Herr Ober".

Sie bringen die Speisekarte, die Weinkarte und leider auch die Rechnung.

Kapiert?

What do the customers in the restaurant want? Write down the numbers 1–5. By each number, write in English what that person asks for.

Hier ist eine Speise- und Getränkekarte.

GRILL

Bratwurst „Provencale" mit Käse überbacken, pommes frites	6,90
Currywurst, pommes frites	6,90
Bratwurst, Kartoffelsalat oder pommes frites	6,40
Jägerwurst, Champignon, pommes frites	7,80
2 Schweinesteaks „Schweizer Art", mit Schinken u. Käse überbacken, pommes frites, gem. Salat	13,80
Schweineschnitzel „Cordon Bleu", Schinken, zerl. Käse, pommes frites, gem. Salat oder Erbsen u. Möhren	13,80
Große Portion Spießbraten frisch vom Grill, mit Brot	9,90

Mineral – Säfte

Coca-Cola	2,00
Fanta	2,00
Apfelsaft	2,00
Tomatensaft	2,80
Orangensaft	2,80
Johannisbeersaft	2,80
Traubensaft, weiß	2,80
Grapefruit-Saft	2,80
Tonic Water	2,80
Ginger Ale	2,80
Bitter Lemon	2,80
Mineralwasser	2,00
Fachingen 0,33 l	2,20

Ein Geburtstagsessen

Katharina und ihre Eltern gehen ins Restaurant. Es ist Katharinas Geburtstag.

Herr Jakobi: Ein Tisch für drei bitte.
Kellner: In der Ecke oder neben dem Fenster?
Frau Jakobi: Lieber in der Ecke.
Kellner: So, bitte schön.
Herr Jakobi: Können wir bitte die Speisekarte haben?
Kellner: Sicher. Wollen Sie auch die Weinliste sehen?
Herr Jakobi: Ja bitte.

Der Kellner bringt die Speisekarte und die Weinliste.

Frau Jakobi: Also was ißt du, Katy?
Katharina: Was ist Jägerschnitzel?
Kellner: Das ist Schnitzel in einer Pilzsoße.
Katharina: Gut. Das nehme ich. Mit Kartoffeln und Salat.
Kellner: Und Sie, gnädige Frau? Was nehmen Sie?
Frau Jakobi: Ich möchte gern Forelle mit Champignons.

Kellner: Und für den Herrn?
Herr Jakobi: Ich esse Wiener Schnitzel mit Kartoffelsalat.
Kellner: Und was trinken Sie?
Herr Jakobi: Bringen sie uns eine Flasche Niersteiner.
Kellner: Sofort.

Der Kellner bringt den Wein, und nach zehn Minuten kommt das Essen. Die Familie Jakobi ißt und trinkt. Als sie fertig sind, kommt der Kellner.

Kellner: Hat's geschmeckt?
Frau Jakobi: Ja danke.
Kellner: Und was nehmen Sie als Nachspeise?
Katharina: Was haben Sie für Eis?
Kellner: Himbeere, Schokolade, Mokka, Vanille...
Katharina: Gut, einmal Mokkaeis mit Sahne, bitte.
Kellner: Und für die Dame?
Frau Jakobi: Apfelstrudel mit Sahne.
Herr Jakobi: Und für mich ein Stück Erdbeertorte.
Kellner: In Ordnung.

Als sie fertig sind, ruft Herr Jakobi den Kellner.

Herr Jakobi: Herr Ober! Die Rechnung bitte!
Kellner: So, bitte schön.
Herr Jakobi: Oh, da stimmt etwas nicht.
Kellner: Lassen Sie mal sehen. Ja, Sie haben recht. Vielen Dank.

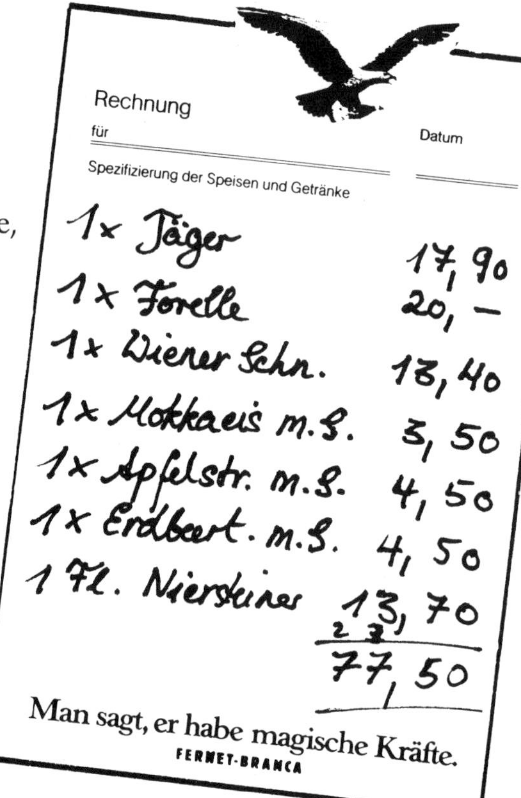
Rechnung
für
Datum
Spezifizierung der Speisen und Getränke

1x Jäger	17,90
1x Forelle	20,–
1x Wiener Schn.	13,40
1x Mokkaeis m.S.	3,50
1x Apfelstr. m.S.	4,50
1x Erdbeert. m.S.	4,50
1 Fl. Niersteiner	13,70
	77,50

Man sagt, er habe magische Kräfte.
FERNET-BRANCA

Antworte auf englisch

1 Whose birthday is it?
2 Where does she go to celebrate?
3 What does she order?
4 What do they all drink?
5 What dessert does Katy eat?
6 What is not quite right?

Antworte auf deutsch

1 Warum geht die Familie Jakobi ins Restaurant?
2 Wo sitzen sie?
3 Was bringt der Kellner?
4 Was ißt Katy?
5 Was ißt Frau Jakobi als Nachspeise?
6 Was trinken sie?

Was?	Wie?
Customer:	
call the waiter	Herr Ober! Fräulein!
get a table	Einen Tisch für drei bitte.
get the menu	Die Speisekarte bitte.
ask what there is	Was für Suppe / Eis / Torte haben Sie?
get the drinks list	Die Getränkekarte bitte.
order	Ich möchte . . .
say how the meal was	Das war gut. / nicht sehr gut. / kalt.
get the bill	Die Rechnung bitte! Bitte zahlen!
say there is a mistake	Da stimmt etwas nicht.
Waiter:	
ask what someone wants	Was nehmen Sie?
ask about the dessert	Und als Nachspeise?
ask about drinks	Was trinken Sie?
say right away	Sofort!
ask how the meal was	Hat's geschmeckt?

Und jetzt du!

Look at the menu below.

A ist der Kellner. **B** ist der Kunde. Organize a meal for yourself and your parents, in as much detail as you can. Ask for:

— a suitable table
— the menu
— the drinks list
— a main course
— a dessert

Unser Angebot " H e u t e "

KALTE VORSPEISEN

H 10	Frischer Fischsalat in der Tomate	7,50
H 20	Avocado mit Sherrydressing - Toast und Butter	11,00

HAUPTGERICHTE

H 30	Paprikaschnitzel vom Schwein mit Pommes frites	13,70
H 31	Frische Fischfilets mit Bohnen, neue Kartoffeln	15,00
H 32	Schweinesteak, Salat, Kroketten	15,50
H 33	Frisches Hähnchen, Tomaten, Pommes frites	14,90
H 34	Rinderfilet mit Champignons, Pommes frites	19,00
H 35	Lammbraten mit Gemüse, Karteoffeln	19,50

NACHSPEISEN

H 50	Zitroneneis	3,50
H 51	Frischer Obstsalat mit Sahne	5,00

Weinhaus PLATEN - 6505 Nierstein - 6504 Oppenheim - Seit 1908 - „Gepflegte Gastlichkeit am Rhein . . ." - Tel. (061 33) 51 61/2291

Wienerwald

bequem, preiswert und praktisch

Suppen

Hühnersuppe mit Reis	1.50
Bayer. Leberknödelsuppe	2.50
Gulaschsuppe nach Wiener Art	2.50

Salate & Beilagen

knackfrisch und gesund

Salatschüssel mit Ei *mit Essig/Öl* *oder Gärtnerin-Dressing*	4.95
Gemischter Salat	2.50
Kartoffelsalat	2.30
Pommes frites	1.90
Brot oder Brötchen	—.35

Steak

„Texas-Steak", *mit Kräuterbutter, Pommes frites und gemischtem Salat*	11.50

Hendl

$\frac{1}{4}$ Wienerwald-Grillhendl	2.50
$\frac{1}{2}$ Wienerwald-Grillhendl *frisch vom Spieß*	4.90
Hendl „Singapur" *$\frac{1}{2}$ Grillhendle mit exotisch-pikanter Würzsauce*	5.95
Hühnerfrikassee *in Weißweinsauce, Reis*	9.95
Curryhuhn *mit Früchten, Curryrahmsauce, Reis*	9.95

Schnitzel

vom Schwein · Große Portion
180 g (2×90 g) Frischgewicht

Jägerschnitzel *mit Edelpilz-Rahmsauce und Pommes frites*	9.95
Wienerwald-Schnitzel paniert *mit Pommes frites und gemischtem Salat*	9.95

Desserts

Wienerwald-Topfenpalatschinken	3.50
Apfelstrudel „Südtiroler Art"	2.50

Eis in Klein- und Familienpackungen
Bitte fragen Sie unseren Verkäufer nach Sorten und Preisen

Wienerwald

Wienerwald-Restaurant
Königstraße 55, 8500 Nürnberg, Telefon 09 11/22 62 55

Wiederholung Zwei

Anmeldeformular

Rheinhotel Nierstein	Zimmer Nr: 27
Name: MICHALSKY	Vorname/n: Ulrike, Renate
Adresse: 8000 MÜNCHEN	
Westring 85	
Geburtsdatum: 4.4.1968	Geburtsort: Flensburg
Nationalität: Deutsch	
Pass Nr: E 364916	Auto Nr: M-CS-639

Kannst du lesen?

Read through the form above, then answer the questions in English.

1 Where is Ulrike staying?
2 Where does she live?
3 Where was she born?
4 What is her nationality?
5 What is her passport number?
6 How is she travelling?

Und jetzt du!

You have DM40 and you are treating yourself and your new German friend to a meal in a restaurant. The menu is on p.34. Find out what he or she likes, then place your order.

Kapiert?

Copy the grid and fill it in.

	Wo?	Wie lange?	Wieviele Personen?	Preis?
Herr Ziegler				
Frau Bohn				
Frau Ohnacker				
Familie Ulrich				
Herr Strohm				

NOW YOU ARE READY FOR WAYSTAGE 2.

7 Was kann man hier machen? 7

Hallo! Ich heiße Irmgard. Ich komme aus Österreich und ich wohne in Salzburg. Das ist eine ganz berühmte Stadt. Mozart ist nämlich hier geboren.

Es gibt deshalb viele Hotels, Restaurants und Konzertsäle. Die Stadt ist sehr alt und sehr schön, mit der Burg und dem Fluß. Aber was können junge Leute hier machen?

Na, man kann ins Kino gehen, oder ins Theater.

Du kannst in eine Disco gehen, oder in ein Café.

Oder du kannst ins Schwimmbad oder ins Sportzentrum gehen.

Oder sogar Tennis spielen lernen im Tenniscamp.

Und bei dir?

Was kann man in deiner Stadt oder in deinem Dorf machen?

Which of these statements is true for you? Tell your partner in German.

ACHTUNG!
Nicht vergessen!
Man kann is used to mean 'you can' or 'one can'.

1. Man kann ins Stadtzentrum gehen.
2. Man kann ins Kino gehen.
3. Man kann ins Theater gehen.
4. Man kann ins Konzert gehen.
5. Man kann ins Café gehen.
6. Man kann ins Restaurant gehen.
7. Man kann ins Schwimmbad gehen.
8. Man kann ins Sportzentrum gehen.
9. Man kann in die Diskothek gehen.
10. Man kann in die Kegelbahn gehen.
11. Man kann in den Park gehen.

Kapiert?

Trag die Tabelle in dein Deutschheft ein.

Copy the grid into your exercise book. Tick the boxes to show where Hans-Peter goes for entertainment.

	Kino	Theater	Café	Schwimmbad	Sportzentrum	Disco	Park
Zürich							
Männedorf							
Rapperswil							

So was Interessantes!

Ich gehe ins Kino ... (Ich gehe in das Kino.)

... und ich sehe einen Film im Kino. (Ich sehe einen Film in dem Kino.)

Wir gehen ins Café ...

... und wir trinken Cola im Café.

Arne geht ins Schwimmbad.

Christa schwimmt im Schwimmbad.

Lutz geht ins Sportzentrum.

Uli spielt Volleyball im Sportzentrum.

Ich gehe in den Zoo.

Elefanten leben im Zoo!

Wir gehen in die Disco ...

... und wir tanzen in der Disco.

Wo? Wohin?

There are two different question words for 'where':
wohin? means 'where to?'
wo? means 'where?'
You need to answer these questions in different ways.

Beispiel:

Wohin geht ihr?
Wir gehen **ins** Café.

Beispiel:

Wo trinkt ihr Cola?
Wir trinken Cola **im** Café.

ACHTUNG! Das ist wichtig

in den **in die** **in das (ins)**	mean '*into* the ...'
in dem (im) **in der**	mean '*in* the ...'

Using the box on the right, try to give the correct answer for each of the following questions.

1 Wohin gehst du, wenn du einen Film sehen willst?
2 Wo schwimmt Christa?
3 Wo leben Elefanten in Europa?
4 Wohin gehst du, wenn du wilde Tiere sehen willst?
5 Wohin gehst du, wenn du tanzen möchtest?
6 Wo spielt Uli Volleyball?
7 Wo tanzt ihr?
8 Wohin geht Arne, wenn er schwimmen möchte?
9 Wohin geht Lutz, wenn er Sport treiben will?
10 Wo kannst du einen Film sehen?

a im Kino
b ins Kino
c in den Zoo
d im Zoo
e ins Schwimmbad
f im Schwimmbad
g im Sportzentrum
h ins Sportzentrum
i in die Disco
j in der Disco

Und jetzt du!

Schau auf den Plan von Neustadt.

Partner **A** kommt aus Großbritannien.

1 Ask what there is to do in Neustadt.
3 Name two different activities you enjoy.
5 Ask where they can be done.

7 Reply.

Partner **B** kommt aus Deutschland.

2 Ask what **A** likes doing.
4 Say whether you can or can't do these in Neustadt.
6 Name the places.
Ask if these activities can be done where **A** lives. Where exactly?

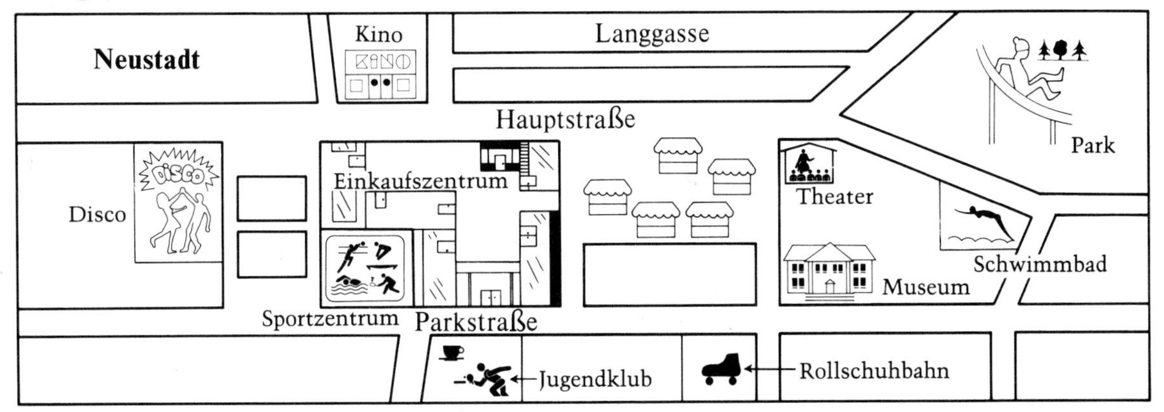

8 Was machst du gern? 8

Pamela: Ich gehe gern wandern.
Thomas: Ich auch.

Marika: Ich nicht!
Ich gehe lieber ins Kino.

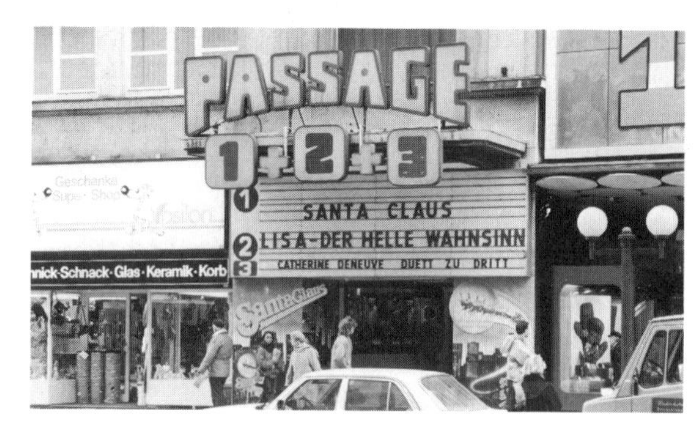

Und du? Was machst du gern?
Tell your partner what you like doing, and see if he or she agrees.

Und mit deinen Freunden? Was machst du?

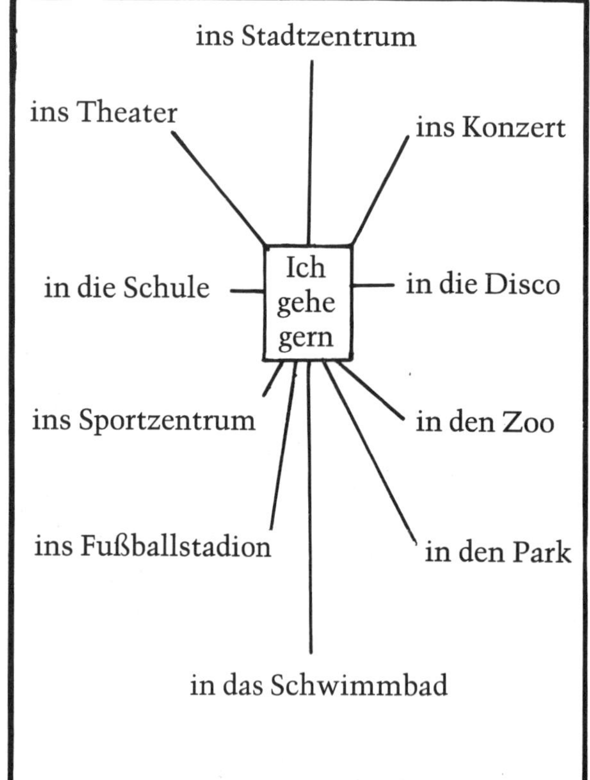

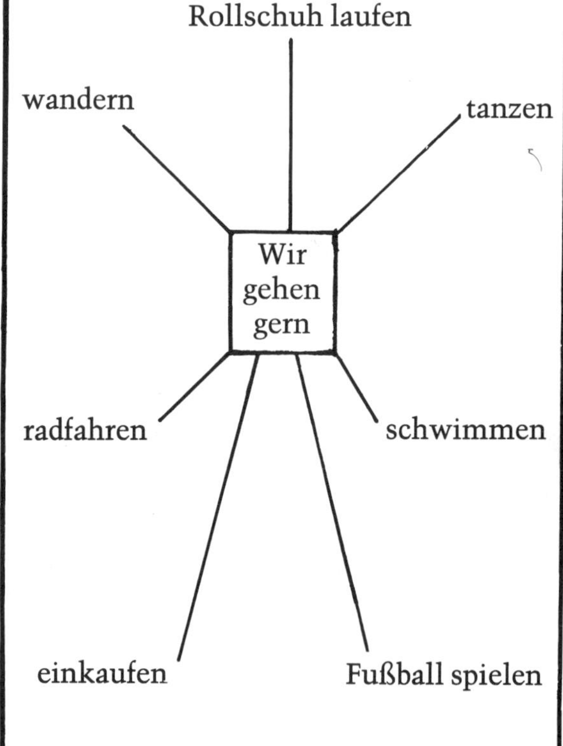

Kapiert?

Was machen die jungen Leute gern? Mache eine Liste. Sie heißen Adam, Bea, Volker und Jutta.

Gruppenarbeit

With a partner, ask each other in German what you like doing and make a list of each partner's favourite activities. Then make a single list of the things you both enjoy, and work out how to tell other people what you have in common.

Beispiel: Wir tanzen gern.
Wir gehen gern schwimmen.

Now get together with another pair, and ask what they both like doing. Answer their questions.

Beispiel: Was macht ihr gern?
Geht ihr gern spazieren?

Kapiert?

Ralf und Hannes sind Zwillinge. Sie sind beide am 13. August geboren und sind beide 16 Jahre alt. Hier machen sie ein Interview für Radio Stuttgart.
List the activities they both enjoy.

Weißt du noch?

du = you (one friend)
ihr = you (more than one friend)
Sie = you (one or more adult or stranger)

gehst du?	kannst du?	magst du?
geht ihr?	könnt ihr?	mögt ihr?
gehen Sie?	können Sie?	mögen Sie?

Fit durch Wandern

Bernd

Elisabeth und Susi

Herr Lehnigk

How would you ask ask these people:
— if they like going swimming
— if they can dance
— if they like your favourite group
— if they like going to concerts
— if they can swim
— if they are going to the zoo
— if they like wine
— if they can rollerskate

Kommst du mit?

Was?	Wie?
say what you want to do	Ich will ins Schwimmbad gehen. Wir wollen in den Park gehen.
invite others to join you	Kommst du mit? Kommt ihr mit?
suggest an activity	Wollen wir tanzen? Wollen wir essen? Wollen wir etwas trinken?
ask when to meet	Wann treffen wir uns?
ask where to meet	Wo treffen wir uns?

Kapiert?

Sara und Mike sind zu Besuch in Deutschland. Ihre Partner, Eva und Uwe, laden sie ein. Wohin?

1 a Ins Kino.
b Ins Schwimmbad.
2 a Ins Theater.
b In die Diskothek.
3 a In die Schule.
b In den Park.
4 a Ins Sportzentrum.
b Ins Freibad.
5 a Ins Stadtzentrum.
b In den Supermarkt.
6 a Auf eine Party.
b Auf ein Picknick.

Wann treffen wir uns?

Bettina: Hallo Susi. Hier Bettina. Ich will ins Stadtzentrum. Kommst du mit?
Susi: Gerne. Wann treffen wir uns?
Bettina: Um elf. Geht das?
Susi: Ja, das geht. Und wo?
Bettina: An der Bushaltestelle.
Susi: Toll. Bis dann. Tschüs!
Bettina: Tschüs!

Antworte auf englisch.

1 Where are the girls going?
2 When are they going to meet?
3 Where are they going to meet?

Ulrich: Hallo Angelika. Wir wollen morgen ein Picknick machen, wenn das Wetter schön ist. Kommt ihr mit?
Angelika: Klasse! Ich frage gleich Tobias. (*Sie geht ihren Bruder fragen.*) Hallo? Ja, das geht.
Ulrich: Fein. Wir treffen uns um zehn Uhr vor dem Bahnhof.
Angelika: In Ordnung. Bis morgen.
Ulrich: Tschüs!

Antworte auf englisch.

1 What is the plan for tomorrow?
2 What does it depend on?
3 When are they going to meet?
4 Where are they going to meet?

Find the German for:

1 When shall we meet?
2 Where shall we meet?
3 We're meeting at ten o'clock.
4 Is that all right?

Wo treffen wir uns?

Heute ist Samstag. Markus will mit seiner Freundin Rita ausgehen. Nach der Schule telefoniert er mit ihr. Er sagt, er möchte ins Kino oder ins Konzert gehen. Im Palast Kino läuft "Asterix erobert Rom", ein lustiger Film aus Frankreich. Am Stadtholz spielt Warlock und seine Heavy Metal Band. Rita will lieber ins Kino.

Markus: Hallo Rita. Hier Markus. Kommst du heute abend mit?
Rita: Wohin denn?
Markus: Ins Kino oder ins Konzert.
Rita: Was gibt's?
Markus: Im Palast läuft ein Asterix Film, und Warlock spielt am Stadtholz.
Rita: Ich gehe lieber ins Kino.
Markus: Okay. Der Film beginnt um acht Uhr. Wo treffen wir uns?
Rita: Um sieben Uhr dreißig vor dem Kino?
Markus: Toll. Bis dann. Tschüs!

Partnerarbeit

Find out what's on from the newspaper cutting on this page and choose somewhere to go with your friend. Ring up and arrange when and where to meet.

Here are some places you might meet:

vor dem Kino
vor dem Theater
vor dem Museum
im Café
im Park
in der Jahnstraße
am Bahnhof
an der Kreuzung
an der Bushaltestelle

ACHTUNG!
Nicht vergessen!

Use **um** to mean 'at' with clock times **(um sieben Uhr)**
Use **am** to mean 'on' with days **(am Montag)**

● KINOS

Movie: 14.30, 17.30, 20.30 „Amadeus".

Astoria: 15.00, 17.30, 20.00, Sa auch 22.30 „Beverly Hills Cop"
Atrium: 15.00, 17.30, 20.00, Sa auch 22.15 „Kopfüber in die Nacht"
Capitol: 15.00, 17.30, 20.00, Sa auch 22.15 „Eis am Stiel, Teil 6"
Gloria: 15.00, 17.30, 20.00, Sa auch 22.15 „Solo für 2"
Gloriette: 15.15, 17.45, 20.15, Sa auch 22.30 „Im tiefen Tal der Superhexen"
Palast: 15.00, 17.30, 20.00, Sa auch 22.15 „Asterix erobert Rom".

● MUSEEN

Bauernhausmuseum, Dornberger Str. 82: 10.00 bis 13.00 und 15.00 bis 18.00 geöffnet.
Naturkundemuseum, Kreuzstr. 38: jedes 1. und 3. Wochenende von 10.00 bis 13.00 geöffnet.

● KONZERTE

Jazz Club, Aug.-Bebel-Str. 5: So. 20.00 Mission Hall Jazzband.
Zweischlingen, Osnabrücker Str. 200: Sa. 20.00 Lift Theater „Die Geierwally".
Bierdorf Brackwede, Stadtring 9: So/Mo 19.30 Rock und Oldies aus dem ehemaligen Starclub Hamburg.
Georgenkirche: So. 17.00 Musik für Spaziergänger.
PC 69, Am Stadtholz 11: Mo. 21.00 Warlock – Heavy Metal Band.

● THEATER

Stadttheater: Sa. 19.30 „Dornröschen" fr. Verk.; Mo. 19.30 „Chicago", fr. Verk.
Theater am Alten Markt: Sa. 19.30 „Antigone", Abo Y, fr. Verk.; So. 19.30 „Sie spielen unser Lied" fr. Verk.; Mo. 19.30 „Der Revisor", fr. Verk.

Herr und Frau Bürkel gehen mit ihren Kindern Jens und Katrin in den Osnabrücker Zoo. Frau Bürkel kauft die Eintrittskarten.

Osnabrücker Zoo
Entspannung u. Belehrung,
Freude auf der
Sommerrodelbahn, im
Waldzoo am Schölerberg

Frau Bürkel: Vier Personen bitte.
Kassiererin: Wieviele Kinder unter 14?
Frau Bürkel: Zwei.
Kassiererin: Also, zweimal DM 7 und zweimal DM 4. Macht DM 22. Wollen Sie einen Plan vom Zoo?
Frau Bürkel: Ja bitte. Was kostet er?
Kassiererin: DM 1.
Frau Bürkel: Also, DM 23. Bitte schön.
Kassiererin: Danke.

Heute ist Sonntag. Wolfgang geht ins Museum. Er ist Student an der Bochumer Universität.

Museen ☎

Deutsches Bergbau-Museum, Am Bergbaumuseum 28 5 18 81/2
Geöffnet: di.–fr. 8.30–17.30 Uhr
sa., so. und feiertags 9.00–13.00 Uhr
Eintritt: 2,50 DM, Schüler und Studenten 1,50 DM
An Sonn- und Feiertagen 2,– DM, Schüler und Studenten 1,– DM

Wolfgang: Guten Tag. Was kostet das bitte?
Museumbeamtin: Sind Sie Student?
Wolfgang: Ja, hier ist mein Studentenausweis.
Museumbeamtin: Also, DM 1.

Bettina interessiert sich fürs Ballett. Im Theater spielen sie gerade 'Dornröschen' von Tschaikowsky. Sie telefoniert.

BÜHNEN DER STADT BIELEFELD THEATER

Telefonische Kartenvorbestellungen:
(05 21) 17 70 77
Dienstag – Freitag:
8.00 – 13.00 und 14.00 – 17.00 Uhr
Samstag:
8.00 – 12.00 Uhr

Öffnungszeiten der Vorverkaufskasse:
11.00 – 13.00 und 17.00 – 18.30 Uhr
(außer sonntags und montags)

Spielplanvorschau vom 25. 5. bis 2. 6. 1985

STADTTHEATER: Sa., **25. 5.**, 19.30 – ca. 22.15, fr. Verk.: **Dornröschen,** Ballett von Peter I. Tschaikowsky.

Kassierer: Hallo. Hier Stadttheater Bielefeld.
Bettina: Guten Tag. Haben Sie noch Karten für Dornröschen?
Kassierer: Im Rang oder im Parkett?
Bettina: Im Parkett.
Kassierer: Und für wie viele Personen?
Bettina: Eine Studentin.
Kassierer: Also, Sitz Nummer F 20. Kostet DM 8. Wann holen Sie die Karte ab?
Bettina: Morgen um vier Uhr.
Kassierer: Und der Name bitte?
Bettina: Panitz, Bettina.
Kassierer: In Ordnung. Auf Wiederhören.
Bettina: Wiederhören.

Was?	Wie?
ask for tickets	ein Student zwei Erwachsene drei Kinder
ask if there is a reduction	Ist es für Kinder / Schüler / Studenten billiger?
say you are at school	Ich bin Schüler. Ich bin Schülerin.

Kapiert?

Trag die Tabelle in dein Deutschheft ein.

Listen to the tape and decide who is going where and what the tickets cost. Put the cost in Marks in the correct square. The first one is done for you.

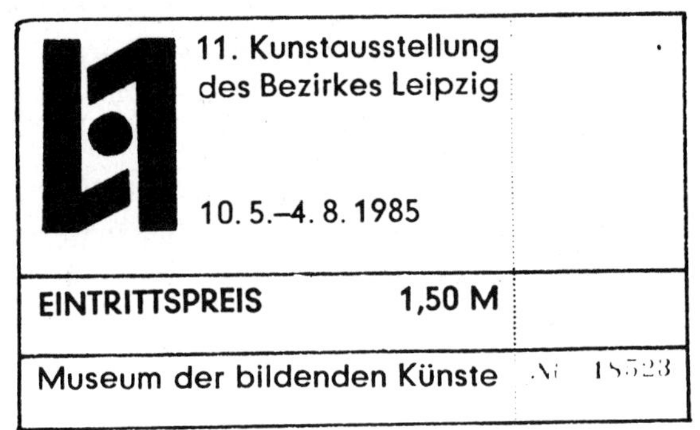

	Zoo	Kino	Schwimmbad	Konzert	Disco	Museum
Frau Peters						DM 4
Ilse Eyer						
Arno Bangert						
Herr Ullmann						
Johann Priel						
Susi Lange						

ÖSTERREICHISCHES FREILICHTMUSEUM
STÜBING BEI GRAZ
Preis laut Tarif
№ 229373 EINTRITTSKARTE
für eine Person
Mit dem Ankauf der Eintrittskarte anerkennen Sie die umseitig angeführten Grundsätze für den Museumsbesuch.
Bitte wenden!

Kannst du mehr?

Write sentences in German to say what each person on the grid is doing and what he or she pays.
Beispiel: Frau Peters geht ins Museum. Sie bezahlt vier Mark.

Und jetzt du!

A will eine Eintrittskarte.

1 Ask what it costs.
3 Reply.
5 Pay.

B ist Kassierer/Kassiererin.

2 Ask if **A** is at school.
4 Give a price.
6 Say thank you.

Wiederholung Drei

Read this newspaper clip about Gmunden in Austria, then answer the questions.

Das bietet Gmunden

Sehenswürdigkeiten: Dreikönigsaltar von Thomas Schwanthaler (1678) in der Stadtpfarrkirche, Museum im Kammerhof mit Gmundner Keramik (Fayencen, grüngeflammte Stücke), Inventar berühmter Bürger (Hebbel- und Brahmszimmer), Geräte aus der Zeit des Salzhandels, die Schlösser Ort, Cumberland, Württemberg und Weyer (mit seiner Meißner-Porzellan-Sammlung).
Sport: Segeln, Windsurfen – beides auch zum Lernen –, Elektrobootfahren, Rudern, Fischen im See und in der Traun (Fliegenfischen lernen), Tennis (Platz und Halle), Kegeln, Radfahren (Verleih), Minigolf.
Unterhaltung: Tanztee im Toskana-Park, Bridge-Abende, Schachturniere, Regatten, Musik-und Kerzenabende, Seefeste.

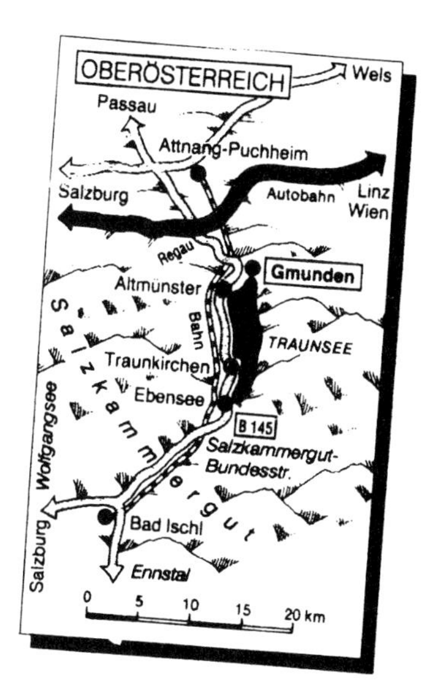

Antworte auf englisch

1 On which road is Gmunden?
2 What lake is it on?
3 Where would you find a famous seventeenth-century altar?
4 How many castles are there in the area?
5 Name five sports you can take part in.
6 Name three entertainments that are offered apart from sport.
7 What seems to be Gmunden's main attraction?
8 Do you think you would enjoy a holiday there? Say why or why not.

Kannst du mehr?

What does your town or district have to offer the tourist? List its attractions in German under the following headings:

Sehenswürdigkeiten (sights)
Unterhaltung (entertainment)
Sport

Kapiert?

Listen carefully to the radio broadcast. Then copy and complete the grid to show when you can attend each event.

	Friday evening	Saturday morning	Saturday afternoon	Saturday evening	Sunday morning	Sunday afternoon	Sunday evening
concert							
free jazz concert							
live music in discos							
Superman spectacular							
ballet							
football							
bike race							

Partnerarbeit

When you have completed the grid above, each partner should pick one of the events mentioned and invite the other person to come along. Make a date, arranging the time and place you are going to meet.

Kannst du lesen?

NOW YOU ARE READY FOR WAYSTAGE 3.

Wie ist das Wetter heute?

11

Es regnet.
Es ist naß.
Es ist wolkig.

Es ist windig.
Es ist kühl.
Es ist nicht schön.

Es ist sonnig.
Es ist warm.
Es ist heiß.
Es ist schön.

Es gibt einen Sturm.
Es gibt ein Gewitter.
Es donnert.
Es blitzt.

Es ist neblig.

Es schneit.
Es ist kalt.

Ein Lied

Es regnet wenn es regnen will
Und regnet seinen Lauf,
Und wenn's genug geregnet hat
Dann hört's vom Regnen auf.

Und wie ist der Wetterbericht?

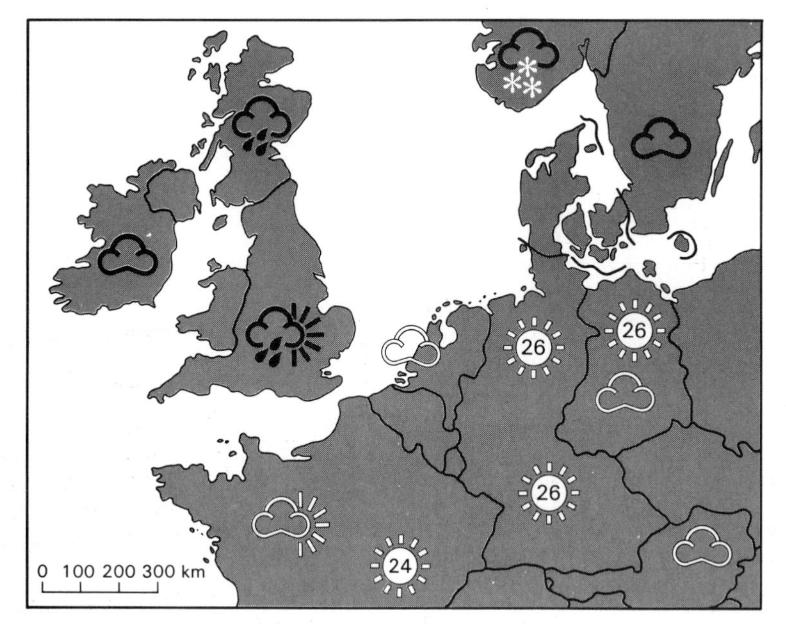

Morgen regnet es in Schottland. Morgen ist es in Deutschland schön.

Und wie war es gestern?

Complete each caption by choosing an ending from the box.

1 In Rom ...
2 In Hamburg ...
3 In New York ...
4 In Singapur ...
5 In Katmandu ...
6 In Edinburg...

... war es heiß.
... hat es geschneit.
... war es neblig.
... hat es geregnet.
... war es windig.
... war es wolkig.

Kapiert?

Make a rough copy of this map of Central Europe. Then listen to the weather forecast and use simple symbols to mark the expected weather on your map.

Das Wetter

Wetterlage:

Das umfangreiche mitteleuropäische Hochdruckgebiet verlagert sich langsam südwärts. Unter seinem Einfluß ist zunächst milde Luft wetterbestimmend.

Vorhersage für das Bundesgebiet:

Am Wochenende meist sonnig, nur im Norden zeitweise bewölkt, aber kaum Niederschlag, Tageshöchsttemperaturen am Samstag 13 bis 17, am Sonntag 16 bis 22 Grad Celsius. Im Küstengebiet merklich kühler. Nächtliche Tiefstwerte 6 bis 1 Grad. Schwacher, im Norden später auffrischender Wind aus Süd bis Südwest.

Weitere Aussichten:

Am Wochenbeginn vorübergehend leicht unbeständig und kühler.

Temperaturen vom Freitag, 11 Uhr:

Sylt 7 Grad, Hamburg 8, Hannover 8, Berlin 9, Düsseldorf 8, Köln-Bonn 6, Feldberg 4, Frankfurt 8, München 5, Konstanz 8, Zugspitze —11, Garmisch 5, Stockholm 7, London 9, Kopenhagen 7, Amsterdam 8, Zürich 7, Paris 10, Madrid 13, Mallorca 17, Wien 8, Venedig 12, Rom 16, Las Palmas 18.

Und jetzt du!

Phone a friend you haven't seen for a while.

Ask after his or her health, talk about the weather.

Then arrange to go out together. Remember to arrange a time and a place to meet.

Zum Lesen 

Look at the newspaper clip about the weather.

How much can you understand?

1 When will it be sunny?
2 Where will it be cloudy?
3 Will Saturday or Sunday be warmer?
4 Where was it hottest on Friday?

Wohin fährst du in den Ferien?

— Ich fahre nach Blackpool.
— Wo ist denn das?
— In England, an der See.

— Ich fahre nach Garmisch.
— Wo ist denn das?
— In Deutschland, in den Bergen.

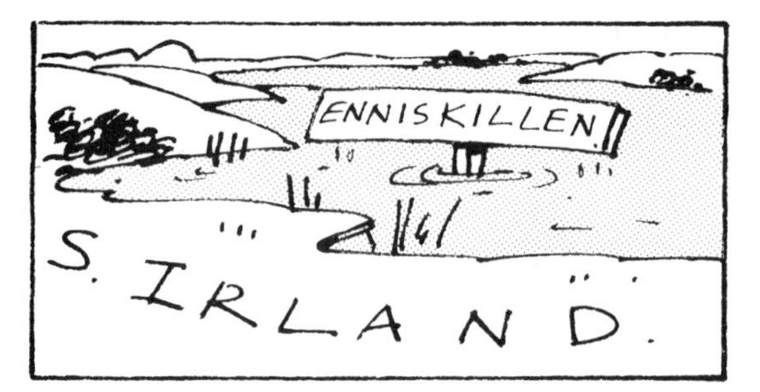

— Ich fahre nach Enniskillen.
— Wo ist denn das?
— Das ist in Irland, an einem See.

— Ich fahre nach Edinburg.
— Wo ist denn das?
— Das ist in Schottland.
Es ist die Hauptstadt.

— Ich fahre nach Ribérac.
— Wo ist denn das?
— Das ist in Frankreich, auf dem Land.

— Ich bleibe zu Hause.
Das ist ganz schön langweilig.

Das ist neu

an der See	at the seaside
an einem See	by a lake
auf dem Land	in the country
in den Bergen	in the mountains
die Hauptstadt	the capital

Kapiert?

Wer fährt wohin?
Copy out the grid and fill it in.

	Ort	Land	Lage
Uschi			
Max			
Felix			
Christoph			
Anne			

Wann und wie lange hast du Ferien?

In der Bundesrepublik haben alle Schüler dreizehn Wochen lang Ferien, und zwar wie folgt:

im Februar	Fastnacht	2–3 Tage
im März/April	Ostern	2 Wochen
im Mai	Pfingsten	1 Woche
im Juni/Juli/August	Sommer	6 Wochen
im Oktober	Herbst	1 Woche
im Dezember/Januar	Weihnachten	2 Wochen

Dazu kommen noch diese Feiertage:

im Mai	1. Mai	Tag der Arbeit
	16. Mai	Christi Himmelfahrt
im Juni	17. Juni	Tag der deutschen Einheit
im November	20. November	Buß- und Bettag

Wann sind deine Osterferien?
Wie lange dauern sie?
Wann sind deine Sommerferien?
Wie lange dauern sie?
Was machst du dann?
Hast du Herbstferien? Wenn ja, wann?
Wie lange bleibst du? Was kannst du da machen?

Why is this shop closed?

Was?	Wie?	
ask where someone is going on holiday	Wohin fährst du in den	Osterferien? Sommerferien? Weihnachtsferien?
ask where a place is	Wo ist denn das?	

Rätsel

Wer fährt wohin?
Each of the following people is going on holiday to a different country.
Unjumble the letters and write a German sentence to say where each one is going.
The names of the countries are in German.

Beispiel: Felix fährt nach ____.

Felix	N A I P E N S
Alexandra	C R S E H Ö E T R I
Martin	G D E L N A N
Christel	K A M R E I A
Raimund	L L O A H D N
Bärbel	T O T S L C N A H D

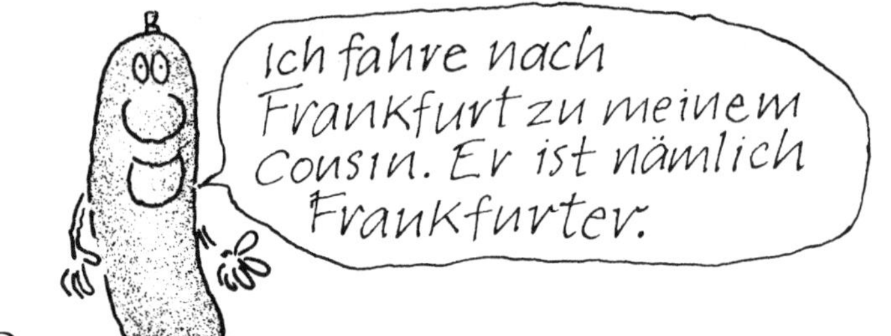

Gruppenarbeit

Conduct a survey among up to six members of your German group. Ask them (in German of course!) where they are going for their next holiday, and find out where it is.

Record your answers like this:

Nicholas	fährt nach Margate Das ist in Südengland, in Kent.
Christine	bleibt zu Hause.

Was machst du in den Ferien?

— Wohin fährst du in den Sommerferien?
— Ich fahre nach Baltrum.
— Wo ist denn das?
— Das ist in Norddeutschland. Baltrum ist eine Insel in der Nordsee.
— Und wie lange bleibst du?
— Drei Wochen.
— Wo wohnst du denn da?
— In einer Ferienwohnung.
— Was kann man da machen?
— Schwimmen, wandern, windsurfen und sonnenbaden, wenn das Wetter schön ist.

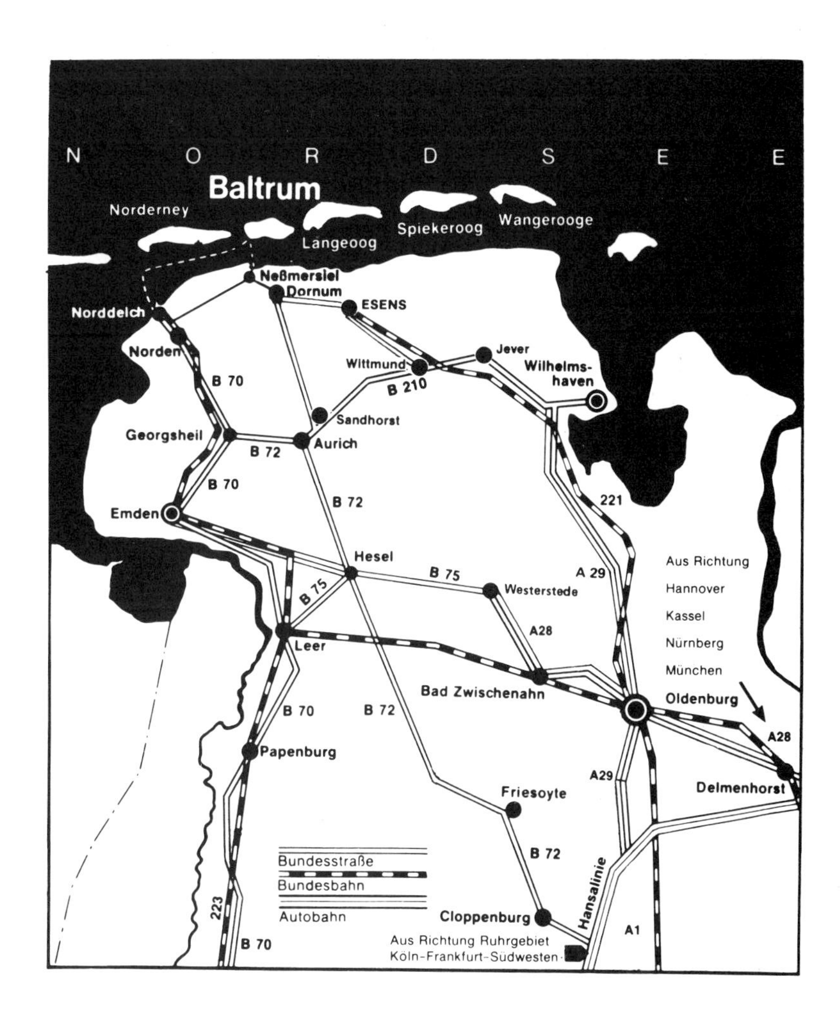

Was?	Wie?
ask how long someone is staying	Wie lange bleibst du? Wie lange bleibt ihr?
say how long you are staying	Ich bleibe / Wir bleiben — eine Woche. / drei Wochen. / zwei Tage. / zehn Tage.
ask where someone is staying	Wo wohnst du da? Wo wohnt ihr da?
say where you are staying	Ich wohne da in einem Hotel. Wir wohnen da — in einer Jugendherberge. / in einer Ferienwohnung. / auf einem Campingplatz.
ask what there is to do	Was kann man da machen?

Ein Brief von Cornelia

Hallo Omi!

Das ist mein letzter Brief aus Mainz. Morgen fahren wir nämlich in die Sommerferien und zwar nach Oban. Weißt Du, wo das ist? Ich mußte auch erst auf dem Atlas nachschauen. Es ist an der Westküste von Schottland gegenüber der Insel Mull. Du weißt doch, davon hat Paul McCartney gesungen: Mull of Kintyre. Wir fliegen von Frankfurt nach Glasgow. Da freue ich mich schon drauf. Ich fliege furchtbar gern. Dann hat Mutti ein Auto gemietet. Hoffentlich kann sie gut links fahren!
In Oban wohnen wir in einer 'villa', das ist englisch für Ferienwohnung. Sie ist ziemlich groß und ganz in der Nähe von der See. Wir wollen viel wandern, angeln und segeln. Wenn das Wetter schön ist, gehen wir auch schwimmen. Außerdem sind da in der Nähe auch Berge und vielleicht machen wir einen Ausflug zum Loch Ness. Vati sagt, wenn es neblig ist, können wir vielleicht Nessie sehen. So ein Quatsch!
Also, ich mach jetzt Schluß. Ich schicke Dir eine Postkarte, sobald wir ankommen.
Viel Spaß in der Schweiz.

Viele Grüße und Küsse

Deine Cornelia

P.S. Mutti und Vati lassen auch grüßen.

Antworte auf englisch

1 Who is Cornelia writing to?
2 Which holiday is she writing about?
3 Where is she going?
4 Where is that?
5 How is she getting there?
6 Where are they staying?
7 Name three things they can do there.
8 Where is Cornelia's grandmother going?

Schreib acht korrekte Sätze

Match the sentence halves up and write out the full sentence.

Cornelia wohnt in ...	... Schottland, an der Westküste.
Cornelia fährt in ...	... in einer Ferienwohnung.
Oban ist in ...	... gehen sie auch schwimmen.
Cornelia fliegt von Frankfurt ...	... Mainz.
In Oban wohnen sie ...	... kann man Nessie vielleicht sehen!
Sie wollen dort viel ...	... den Sommerferien nach Oban.
Wenn das Wetter schön ist, ...	... nach Glasgow.
Wenn es neblig ist, ...	... wandern, angeln und segeln.

An Frau
Maria Schmidt
Salzstraße 13
7800 Freiburg

Kannst du mehr

Can you write a letter in German, either about your next holiday or one of the holidays on page 58.

Kapiert?

Falsch oder richtig?

1 Sigrid and Klaus are talking about their Christmas holidays.
2 Sigrid is staying at home.
3 Klaus is staying at home.
4 Sigrid is travelling to the mountains in Switzerland.
5 The holiday will last ten days.
6 They are staying in a hotel.
7 They can go swimming.
8 They can go skiing.

Und jetzt du!

Arbeite mit einem Partner oder einer Partnerin.
Each choose one of the holidays, then make up a conversation about it, finding out:
— where your partner is going
— where that is
— where he or she is staying
— how long he or she is going for
— what there is to do there

1 Malaga (Spanien) an der See Hotel 2 Wochen schwimmen sonnenbaden	**2** Farso (Dänemark) auf dem Land Ferienwohnung 3 Wochen radfahren wandern schwimmen	**3** Aviemore (Schottland) in den Bergen Jugendherberge 14 Tage wandern bergsteigen
4 Bala (Wales) an einem See Campingplatz 7 Tage angeln segeln schwimmen	**5** Brighton (England) an der See bei einer Familie 10 Tage Englisch lernen in Discos gehen schwimmen	**6** Heidelberg (Deutschland) am Neckar Hotel 1 Woche Deutsch lernen das Schloß besichtigen wandern

14 __ Wollen wir einen Ausflug machen? __ 14

Paula ist zu Besuch in der Schweiz bei ihrer Brieffreundin Heike. Sie sind beim Frühstück.

Heike: Mutti, heute ist das Wetter so schön. Wollen wir einen Ausflug machen?
Frau Lang: Tja, wie ist denn der Wetterbericht?
Heike: Ich gucke mal in der Zeitung nach. Na, es wird heute überall in der Schweiz schön sein.
Frau Lang: Na gut, wenn es nur nicht regnet. Wollen wir ein Picknick machen?
Heike: Wo fahren wir hin?
Frau Lang: Nach Brunnen?
Heike: Oh ja, dann können wir eine schöne Wanderung machen. Gehst du gern wandern, Paula?
Paula: Ganz gern.
Heike: Hast du Wanderschuhe mit?
Paula: Nein.
Heike: Welche Größe hast du denn?
Paula: Vierzig.
Heike: Oh, da haben wir nichts. Machen wir lieber eine Bootsfahrt?
Paula: Oh ja, sehr gern.
Frau Lang: Gut, dann fahren wir mit dem Auto nach Brunnen und machen dann eine Bootsfahrt nach Luzern.
Heike: Klasse!

Richtig oder falsch?

Schreib acht korrekte Sätze.

1 Heike wohnt in der DDR.
2 Das Wetter ist heute schön.
3 Der Wetterbericht ist schlecht.
4 Frau Lang will ein Picknick machen.
5 Sie wollen nach Basel fahren.
6 Paula geht sehr gern wandern.
7 Paula hat keine Wanderschuhe mit.
8 Sie machen lieber eine Bootsfahrt nach Zürich.

Luzerner See, Schweiz

Und jetzt du!

Suggest an activity for the day to your partner. Your partner can accept (**Ja gern!**) or decline (**Oh nein, lieber nicht**).

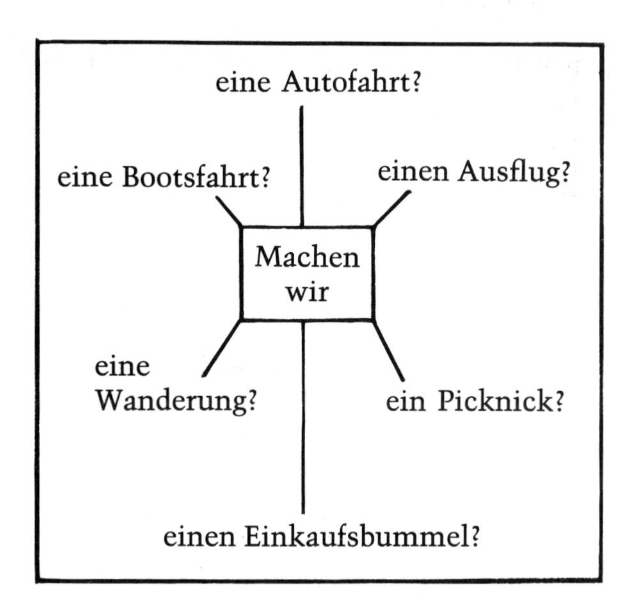

Kapiert?

Was machen Sie?

Match the following people with the activities they are offered.

Olga	Klaus	Silke
Sigmund	Peter	Inge

Beispiel: Olga macht eine Autofahrt.

Eine Postkarte aus der Schweiz

Bern Münster mit Altstadt
Berne ‹Münster› avec la vieille ville
Berne ‹Münster› with the old town
Berna ‹Münster› con la vecchia città

Liebe Mutti, lieber Vati,

Wie geht es Euch? Hier ist das Wetter sehr schön. Wir machen heute einen Ausflug nach Altdorf. Morgen wollen wir eine Wanderung machen.

Tschüs. Daniela

HELVETIA 80

An
Herrn und Frau Roth
Am Brunnen 17
7800 Freiburg
BRD

Antworte auf englisch

1. What is the writer's full name?
2. What town does she come from?
3. What country does she come from?
4. Where is she on holiday?
5. Who is she writing to?
6. What is the weather like?
7. What are they doing today?
8. What are they going to do tomorrow?

Kannst du mehr?

Imagine you are on holiday. Send a card to your German-speaking pen-friend, telling him or her a little about your holiday.

Wiederholung Vier

Read the information about the Atalaya Park Complex in Spain, then answer the questions in English.

1 Name three sports available at no extra cost.
2 How much would you pay for a five-day tennis course?
3 How much would you pay for a beginner's surfing course?
4 How much would you pay for a round of golf?
5 Name three other entertainments which are available.
6 When does the disco open?
7 For what age group is the children's village available?
8 What weather can you expect in early autumn?

Tips und Informationen zum Atalaya Park

Sport: Ohne Extrakosten werden angeboten Gymnastik, Jogging, Schwimmunterricht, Boccia, Yoga, Volleyball, Shuffleboard, Tischtennis, Darts, Selbstverteidigung, Jazzgymnastik, Bogenschießen. Für diese Sportarten muß bezahlt werden: Reiten – pro Stunde ca. 12 Mark. Tennis – Platzmiete etwa fünf Mark, Intensivkurs 5 Tage rund 125 Mark. Surfen – Anfängerkurs mit zehn Stunden 190 Mark. Golf – für eine 18-Loch-Runde 15 Mark, Einzelunterricht pro Stunde 30 Mark. Leihschläger pro Runde 10 Mark.

Hobby und Unterhaltung: Im Atelier kann man batiken oder Stoff färben oder die Dekorationen für die Show mit ausmalen helfen. Auf dem Unterhaltungsprogramm der Club-Animateure stehen Bingo, Shows, Kabarett, Quiz: bei schlechtem Wetter gibt's Geschichten am Kamin. Jede Nacht ab 23 Uhr ist die Disco geöffnet.

Kinder: Im Kinderdorf kümmern sich die Betreuer um die Vier- bis Zwölfjährigen. Sie erhalten Schwimmunterricht, machen Ausflüge, spielen „Wer ist die schönste Braut?" oder veranstalten Kinderfeste. Mittags essen die Kinder getrennt am Extratisch.

Wetter: Im September und Oktober (Zahlen in Klammern) ist das Wasser noch 21,3 Grad warm (18,3). Die Tagestemperatur klettert bis auf 27 (23) Grad, nachts geht das Thermometer herunter auf 20 (16) Grad. Die Sonne scheint pro Tag noch 9 (7) Stunden, und man rechnet mit 2 (4) Regentagen pro Monat.

Kapiert?

Listen to these people discussing their holidays. Where are they going, when are they leaving, what weather do they expect, and what are they planning to do? Copy and complete the grid.

	Where?	When?	Weather?	Plans?
1				
2				
3				
4				
5				

Und du?

Wohin möchtest du gern fahren?
Wie ist das Wetter da?
Was kannst du dort machen?

NOW YOU ARE READY FOR WAYSTAGE 4.

Wo warst du in den Ferien?

— Hallo Maria. Du bist aber braun. Wo warst du in den Ferien?
— Ich war hier, zu Hause.
— Mensch! Ehrlich? Wie war das Wetter?
— Einfach Klasse!

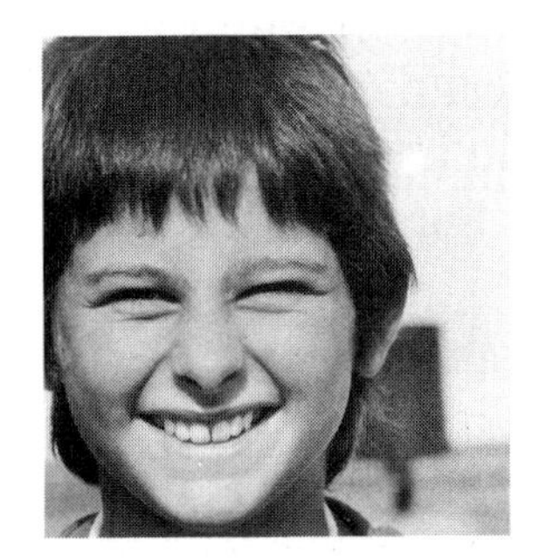

— Grüß dich Dieter! Wo warst du denn in den Ferien?
— Ich war in Irland.
— Und wie war das Wetter?
— Och, nicht so gut. Es war windig und hat geregnet.
— Schade!

— Guten Morgen Herr Schmidt. Wo waren Sie denn in den Ferien?
— Ich war in Österreich, in St Anton, in den Bergen.
— Und wie war das Wetter?
— Prima! Es war sonnig, aber kalt, und es hat viel geschneit.

Frau Stepp: Guten Morgen ihr zwei.
Horst und Lutz: Guten Morgen Frau Stepp.
Frau Stepp: Na, wo wart ihr denn in den Ferien?
Lutz: Wir waren in Tihàny, in Ungarn.
Horst: Das ist an einem See.
Frau Stepp: Und wie war das Wetter?
Horst: Ziemlich gut. Eine Woche lang war es heiß und sonnig.
Lutz: Aber dann hat es oft geregnet, und es war ziemlich kalt.
Frau Stepp: Oh, das tut mir leid.

— Guten Abend Sonia. Na, wo warst du denn in den Ferien?
— Ich war in Frankreich, wie immer.
— Und wie war das Wetter?
— Mittelmäßig dieses Jahr. Sonnig, aber auch sehr windig.
— Aha.

Antworte auf englisch

1 Who was happy with the weather on holiday?
2 Where did Maria get her suntan?
3 What was the weather like in Ireland?
4 Where exactly is Sankt Anton?
5 Who went to Hungary?
6 Where did Sonia spend her holiday?

Das ist neu

Wo warst du? Wo wart ihr? Wo waren Sie?	Where were you?
Ich war in Frankreich. Wir waren in Spanien.	I was in France. We were in Spain.
Wie war das Wetter?	What was the weather like?
Es war windig. Es war sonnig.	It was windy. It was sunny.
Es hat geregnet. Es hat geschneit.	It rained. It snowed.

Und jetzt du!

Arbeite mit einem Partner oder einer Partnerin.

Find out:
— where your partner spent his or her last holiday
— exactly where that is
— what the weather was like

Temperaturen

Celsius	Fahrenheit	
0	32	es friert
1	34	
2	36	
3	37	
4	39	
5	41	kalt
6	43	
7	45	
8	46	
9	48	
10	50	kühl
11	52	
12	54	
13	55	
14	57	
15	59	
16	61	
17	63	
18	64	warm
19	66	
20	68	
21	70	
22	71	
23	73	
24	75	
25	77	
26	79	heiß
27	81	
28	82	
29	84	
30	86	
31	88	
32	89	

Wie bist du dahingefahren?

Das ist neu

Wie bist du dahingefahren?
Wie seid ihr dahingefahren? — How did you get there?
Wie sind Sie dahingefahren?

Ich bin
mit dem Bus
gefahren.

Wir sind
mit dem Flugzeug
gefahren.

Ich bin
mit dem Schiff
gefahren.

Wir sind
mit dem Auto
gefahren.

Ich bin
mit dem Zug
gefahren.

Wir sind
mit dem Rad
gefahren.

Ich bin
per Anhalter
gefahren.

Wir sind
mit der Fähre
gefahren.

Und jetzt du!

How many different conversations can you and your partner make up in five minutes using the information below?

Wo?	Wie?	Wetter
Frankreich auf dem Land		
London		
Innsbruck in den Bergen		
Llandudno an der See		
Lindau am Bodensee		

Wo hast du gewohnt?

Ich habe in einem Hotel gewohnt.

Das ist neu

Wo hast du gewohnt? Wo habt ihr gewohnt? Wo haben Sie gewohnt?	Where did you stay?

Ich habe auf einem Campingplatz gewohnt.

Wir haben in einer Ferienwohnung gewohnt.

Wir haben in einer Jugendherberge gewohnt.

Wir haben in einer Pension gewohnt.

Und jetzt du!

Arbeite mit einem Partner oder einer Partnerin.
Make up some more conversations about a real or imaginary holiday you had. Use the ideas on p.64 to help you.

Find out:
— where your partner went on holiday
— what the weather was like
— how he or she travelled
— where he or she stayed

Was hast du gemacht?

Das ist neu

Was hast du gemacht? Was habt ihr gemacht? Was haben Sie gemacht?	What did you do?

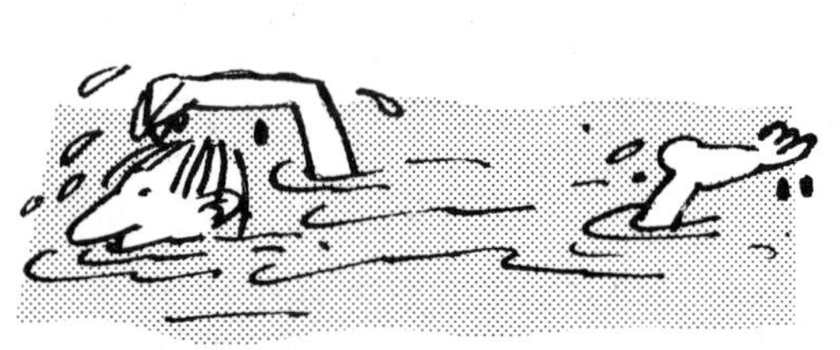

Ich habe geschwommen.

Ich habe getanzt.

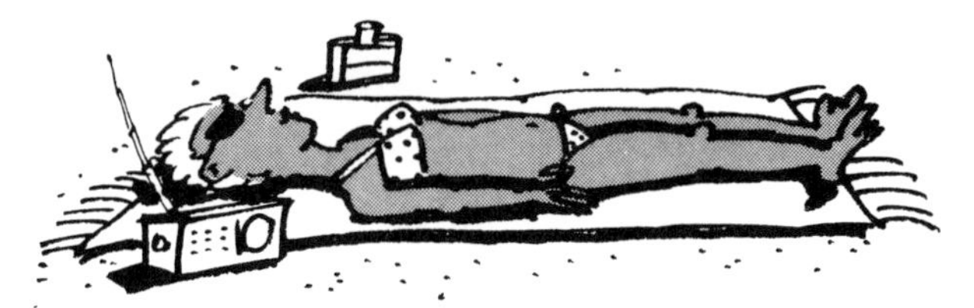

Ich habe in der Sonne gelegen.

Wir haben Musik gehört.

Ich habe ein Eis gegessen.

Ich habe Tennis gespielt.

Wir haben eine Postkarte geschrieben.

Wir haben geangelt.

Das ist anders

Ich **bin** mit dem Auto **gefahren**.
Ich **bin** zur Disko **gegangen**.
Wir **sind** auf die Berge **gestiegen**.
Wir **sind** nach Garmisch **gewandert**.

ACHTUNG!
Nicht vergessen!

If you went from one place to another, use **ich bin** / **wir sind** instead of **ich habe** / **wir haben**

Wie sagt man das?

In each sentence, fill the gap with **habe** or **bin**. Only use **bin** if you moved from one place to another.

1 Ich ____ in die Disco gegangen.
2 Ich ____ in der Disco getanzt.
3 Ich ____ in den Zoo gegangen.
4 Ich ____ einen Elefanten im Zoo gesehen.
5 Ich ____ Volleyball mit Detlev gespielt.
6 Ich ____ ein Eis gegessen.
7 Ich ____ nach Österreich gefahren.
8 Ich ____ nach Rapperswil gewandert.

Kapiert?

Trag die Tabelle in dein Deutschheft ein.

Copy the grid, then fill in the details of how each person spent his or her holiday.

	wo?	gefahren?	gewohnt?	gemacht?
Katrin				
Friedel				
Tanja				
Oliver				

Kannst du mehr?

Write four sentences about each of the people you heard on the tape.

Beispiel:
Katrin war in Holland.
Sie ist mit dem Auto gefahren.
Sie hat in einer Ferienwohnung gewohnt.
Sie hat viel geschwommen.

ACHTUNG!
Nicht vergessen!

When you want to say what someone else did, use:

er / sie | hat *or* er / sie | ist

Gehirnarbeit

A:
Complete the text with the correct words. The missing word in each case is **war**, **habe**, or **bin**.

Ich ____ in den Ferien in Schottland, in Edinburg. Das Wetter ____ nicht sehr gut. Ich ____ mit dem Zug gefahren und ich ____ in einer Jugendherberge gewohnt. In Edinburg ____ ich das Schloß besichtigt.

B:
In these sentences, the missing words are **gegangen**, **gefahren**, **geregnet**, **gewohnt**, **war**.

In meinen Osterferien bin ich nach Wales ____. Das Wetter ____ ziemlich gut. Wir haben in einem schönen Hotel ____. Wenn es ____ hat, sind wir in die Disco ____.

C:
Imagine you are Carolin. Write a brief description of your last holiday, using the clues provided.

Ich . . .

Das Wetter . . .

Wir . . .

Wir sind . . .

Ich . . .

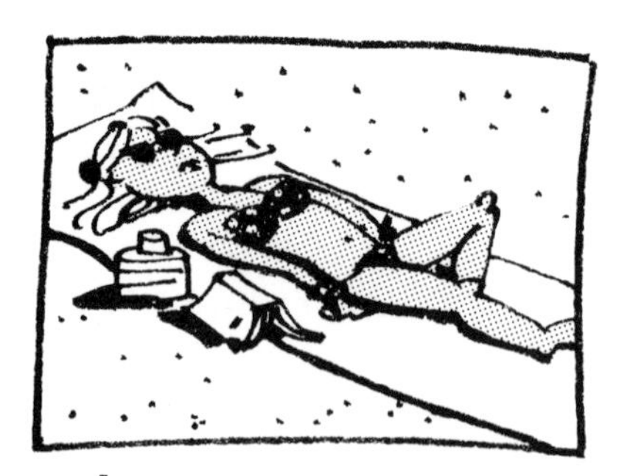

und . . .

Haben Sie schon die Kirche besichtigt?

Landau

Die Wein- und Gartenstadt der Pfalz vor den Bergen des Naturparks Pfälzerwald

Eingebettet in die Ausläufer der Pfälzer Berge, umgeben von Reben, ist Landau Mittelpunkt der Südpfalz im Bereich der Südlichen Weinstraße.
Eine Stadt mit persönlicher Note, deren Gesichter kennenzulernen sich lohnt.

- Historische Sehenswürdigkeiten wie Deutsches und Französisches Tor, Kreuzgang, Stiftskirche, Katharinenkapelle u. a.
- Heimatmuseum, Stadtarchiv, ausgedehnte Parkanlagen, Zoo
- Festhalle, ideal für Tagungen, Vereins- und Betriebsausflüge
- Urgemütliche Gaststätten und Hotels mit gepflegter Gastlichkeit
- Wandern, Reiten, Tennis, Segel- und Motorflug, Schwimmen, Kegeln, Discotheken
- Theater, Konzerte, Kunstausstellungen
- Weinfeste, Weinproben

Auskunft erteilt: Kultur- und Verkehrsamt · 6740 Landau i. d. Pfalz · Marktstraße 50 · Telefon (06341) 13300–301

In Landau in der Pfalz können Sie viel machen! Sie können das Deutsche Tor und das Französische Tor besichtigen. Sie können auch die Stiftskirche besichtigen. Oder Sie können das Heimatsmuseum und den Zoo besuchen. Sie können eine Wanderung machen, Tennis spielen, schwimmen oder kegeln gehen oder abends in eine Disco gehen. Dann können Sie noch ins Theater oder ins Konzert gehen.

Partnerarbeit

A ist Tourist/Touristin in Landau.
B arbeitet im Verkehrsamt.

A You've already seen and done a lot since you arrived. You are getting bored, so find out what else there is to do!

B Ask if **A** has already done the following:
— visited the church or town gates
— visited the zoo or folk museum
— been on a long walk
— played tennis
— been swimming or bowling
— been to a disco or concert
— been to the theatre

ACHTUNG!
Nicht vergessen!

Haben Sie die Kirche besichtigt?
Haben Sie das Museum besucht?

Beispiel:
— Haben Sie schon das Deutsche Tor besichtigt?
— Sind Sie schon ins Konzert gegangen?

Noch ein Brief von Cornelia

Read Cornelia's letter, then answer the questions which follow it.

Liebe Omi,

So, jetzt sind wir aber wieder aus unseren Ferien zurück. Hast Du unsere Postkarten bekommen? Ich habe Dir eine von Oban und eine von Loch Ness geschickt. Und Mutti hat auf Mull eine geschrieben. Aber jetzt von Anfang an. Der Flug war einfach Klasse. Wir sind mit Britisch Caledonian geflogen. In 100 Minuten waren wir in Glasgow. Das Wetter war nicht so sehr gut. Es hat ein bißchen geregnet und es war ziemlich kalt.

Unser Auto, ein Ford, war schon da. Mutti hat ihren Paß und ihren Führerschein gezeigt und dann sind wir losgefahren. Auf der linken Seite! Das war ganz schön nervig! Aber am Ende der Ferien ist sie schon wie eine Schottin gefahren.

Nach drei Stunden sind wir in Oban angekommen. Jetzt war es ziemlich sonnig. Unsere Ferienwohnung war prima. Wir hatten zwei schöne Schlafzimmer, eine Wohnküche und ein Bad mit Dusche.

Die Wohnung war ganz in der Nähe von der See und von meinem Zimmer konnte ich die Mull of Kintyre sehen. Nur Paul McCartney war nicht da. Wir haben viel geangelt und ich habe fünfundzwanzig Fische gefangen. Wir haben ein paar gegrillt und gegessen. Die waren prima. Mutti und Vati haben oft gesegelt, wenn es windig war.

Natürlich sind wir zum Loch Ness gefahren und natürlich haben wir Nessie nicht gesehen. Dafür habe ich mir ein Loch Ness Monster aus Stoff gekauft.

Viele liebe Grüße Deine Cornelia

Antworte auf englisch

1 How many postcards did they send to Cornelia's grandmother?
2 What was the flight like? How long did it last?
3 What was the weather like when they arrived in Glasgow?
4 How did they get to Oban and how long did it take?
5 What was their holiday flat like?
6 What could Cornelia see from her bedroom window?
7 How did they spend their time there?
8 Where did they go on a day trip?
9 What souvenir did Cornelia buy?

Falsch oder richtig?

Schreib neun korrekte Sätze.

1 Cornelia hat zwei Postkarten geschrieben.
2 Sie ist mit dem Bus nach Schottland gefahren.
3 In Glasgow war es kalt.
4 Mutti hat den Bus gefahren.
5 In Oban war es auch kalt.
6 Die Ferienwohnung war in den Bergen.
7 Cornelia hat viele Fische gefangen.
8 Die Familie ist nicht zum Loch Ness gefahren.
9 Cornelia hat Nessie gesehen.

X Kannst du mehr?

Write a letter in German about your last holiday, saying:

— where you went
— how you got there
— where you stayed
— what the weather was like
— what you did

Wiederholung Fünf

Liebe Joanne, lieber Jason,
Vielen Dank für Eure Postkarte aus Irland. Ihr hattet ja wirklich schöne Ferien.
Ich war mit meiner Mutter in Österreich. Wir sind mit dem Zug nach Wien gefahren und dann weiter mit dem Bus an den Neusiedler See. Der ist an der ungarischen Grenze. Das Wetter war wunderbar, sehr heiß. In den ganzen 14 Tagen hat es nur einmal geregnet. Wir haben in einem kleinen Hotel gewohnt. Es war sehr nett und das Essen hat prima geschmeckt. Die meisten Gäste waren aus Österreich und Deutschland.
Mutti und ich waren jeden Tag im Freibad und sind geschwommen. Zweimal haben wir eine Wanderung gemacht, aber dazu war es viel zu heiß. Am besten hat mir die Bootsfahrt gefallen, die wir auf dem See gemacht haben. Und natürlich haben wir einen Ausflug nach Wien gemacht. Das ist eine wunderbare Stadt. Wir haben den Stephansdom und den Prater besichtigt. Das Riesenrad ist einfach Klasse.
Viele Grüße, Andreas

Read Andreas' letter, then match up the sentence halves to make eight correct statements.

Joanne und Jason ...	... Wanderungen gemacht.
Andreas und seine Mutter ...	... hat Andreas am besten gefallen.
Sie sind mit dem ...	... kleinen Hotel gewohnt.
Das Wetter ...	... Zug nach Wien gefahren.
Sie haben in einem ...	... nach Wien gemacht.
Sie haben zwei ...	... war wunderbar.
Die Bootsfahrt ...	... waren in Irland.
Sie haben einen Ausflug ...	... waren in Österreich.

Und jetzt du!

Imagine you had one of the holidays below. Tell your partner in as much detail as possible about it.

wo?	Österreich	Wales	Spanien
wie?	Zug	Bus	Flugzeug
wie lange?	3 Wochen	7 Tage	10 Tage
Wetter?	ganz gut, warm	nicht so gut, Regen	sehr gut, heiß
gewohnt?	Ferienwohnung	Campingplatz Wohnwagen	Hotel
gemacht?	gewandert, besichtigt	gespielt	geschwommen

NOW YOU ARE READY FOR WAYSTAGE 5.

17 Ich suche mein Hotel 17

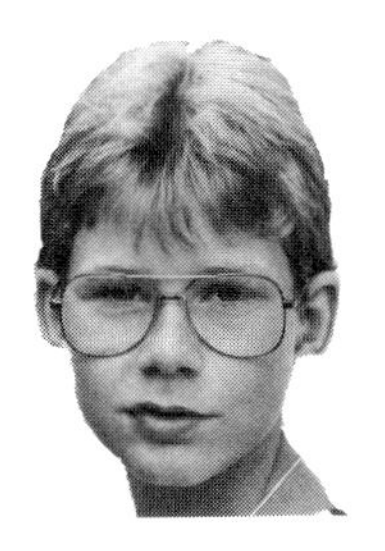

— Verzeihen Sie bitte. Können Sie mir helfen? Ich habe mich verlaufen. Ich suche mein Hotel.

— Gerne. Wie heißt das Hotel?

— Das ist Hotel Adler, in der Bahnhofstraße.

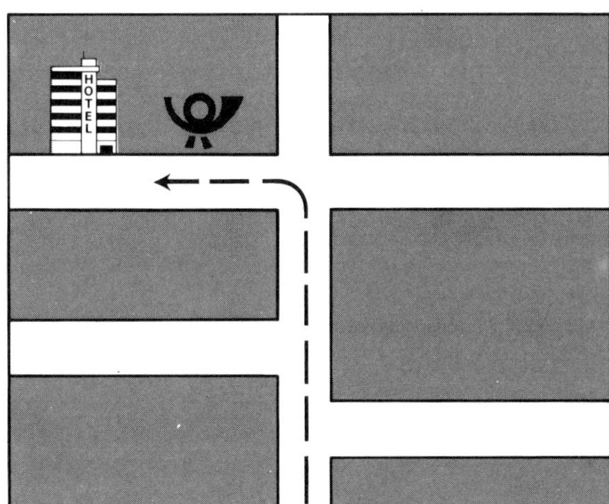

— Das ist einfach. Gehen Sie hier geradeaus, und dann die zweite Straße links. Das Hotel ist auf der rechten Seite, neben der Post.

— Vielen Dank.

Was?	**Wie?**
ask for help	Können Sie mir helfen?
say you are lost	Ich habe mich verlaufen.
say what you are looking for	Ich suche ____.

Was suchst du?	
ich suche	den Bahnhof den Park die Post die Jugendherberge das Verkehrsamt das Schwimmbad
	einen Supermarkt eine Diskothek ein Hotel

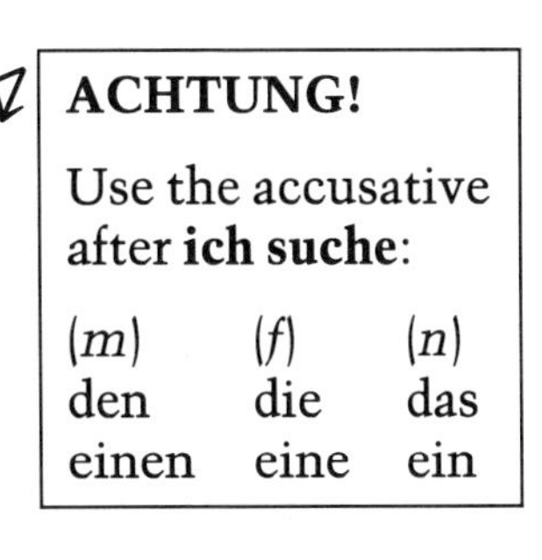

ACHTUNG!

Use the accusative after **ich suche**:

(*m*)	(*f*)	(*n*)
den	die	das
einen	eine	ein

Kapiert?

All these people are lost. List their names and write what each one is looking for.

Sigrun

Hans-Peter

Frau Müller

Herr Clemens

Und jetzt du!

Du hast dich verlaufen.

Imagine you are lost. Tell a passer-by (your partner) what you are looking for. Use the information box on the previous page to help you. The passer-by should give you directions.

Ich suche meine Freundin

Your teacher will give you a copy of the maze where Wurstel's girl-friend is hiding. Give Wurstel clear instructions in German to help him find her. Keep him away from knives and forks!

Ich suche meinen Freund

Darren ist zu Besuch bei seinem Briefpartner Lothar. Sie sind in die Stadt gegangen, denn sie wollen einkaufen. Aber jetzt kann Darren seinen Freund nicht mehr sehen. Er hat ihn zum letzten Mal in der Schallplattenabteilung gesehen. Lothar hat da eine Nena-Platte gekauft. Darren geht zum Informationsschalter.

Darren: Entschuldigen Sie bitte. Ich kann meinen Freund nicht finden.
Auskunft: Wo hast du ihn zum letzten Mal gesehen?
Darren: In der Schallplattenabteilung. Er hat eine Platte gekauft.
Auskunft: Und wie heißt er denn?
Darren: Lothar Berger. Er ist vierzehn.
Auskunft: Wie sieht er aus?
Darren: Er hat kurzes, blondes Haar. Er ist ungefähr 1,60 m groß, und er hat eine Brille auf.
Auskunft: Was hat er an?
Darren: Eine grüne Jacke, eine graue Hose, und Sportschuhe.
Auskunft: Gut. Wir rufen ihn über den Lautsprecher.

Antworte auf englisch

1 Why is Darren in Germany?
2 Why did he and Lothar go into town?
3 Where did he last see Lothar?
4 What was Lothar doing?
5 What does Lothar look like?
6 What is he wearing?

Brieffreundschaften

Wir sind zwei Mädchen, die nette Brieffreunde im Alter von 13 bis 15 Jahren suchen. Wir mögen gute Musik, Tanzen, Schwimmen usw. Wer Lust hat, schreibt an

Katje Böll
Bünder Fußweg 24, 4904 Enger
Elke Brockhaus
Kleffmannweg 11, 4904 Enger

Wer hat Lust, mit einem zwölfjährigen Mädchen in Briefkontakt zu treten? Meine Hobbys sind: Musikhören, Stricken, Plaudern, Lesen usw. Also, wer Lust hat, schreibt an

Marion Baum
Am Ottenhof 3, 4815 Stukenbrock

Ich suche eine Brieffreundin im Alter von 10 bis 12 Jahren. Ich selber bin 11 Jahre alt. Meine Hobbys: Klavier, Rollschuhe, Lesen und Kunstturnen usw. Legt bitte ein Foto von euch dazu.

Hanne Schmidt
Heidegärten 22a, 4800 Bielefeld

Zwei Girls im Alter von 12 und 13 Jahren suchen fetzige Brieffreunde zwischen 12 und 15 Jahren. Wir stehen auf Musikhören (Nena, Police, Billy Idol, Modern Talking), Discos, Partys, Mode, Kino. Nehmt den Kuli in die Hand und schreibt an:

Annemarie Panitz
Frühlingstraße 42, 7298 Laßburg 1
Leni Dohrmann
Frühlingstraße 16, 7298 Laßburg 1

Ich bin 15 und suche einen Briefreund im Alter von 15 bis 20. Meine Hobbys sind: Tanzen, Musikhören, Stricken. Wer Interesse hat, schreibt bitte mit Foto an:

Sandra Becker
Stadionstraße 57, 4980 Bünde 1

Hallo, ich suche eine Brieffreundin im Alter von 8 bis 9 Jahren. Hobbys: Schwimmen, Flöten, Turnen.

Sonja Winter (8)
Senner Hellweg 68, 4800 Bielefeld

Ich (10) suche eine Brieffreund(in) im Alter von 10–11 Jahren. Meine Hobbys sind Reiten, Tiere, Ballet und Schwimmen. Ich habe eine Katze und ein Zwergkaninchen. Ich schreibe an alle zurück.

Carolin Sietz
Mendelssohnweg 22
4815 Schloß Holte

Kannst du eine Brieffreundin für diese jungen Leute finden?
Read the advertisements and choose a different pen-friend for each of the people listed below.

Matthew, aged 16, likes dancing, listening to music, and girls!
He has been learning German for three years.

Katy, aged 8, speaks German at home to her mother. She plays the recorder and she is learning to swim.

Simon, aged 13, has just started German at school. He enjoys going to parties and listening to pop music.

Amarjit, aged 12, likes knitting and reading. She speaks English and Gujerati and she wants to learn German.

Kannst du mehr?

Write a letter to a German newspaper asking for a pen-friend. State your age and interests.

18 Ich habe was verloren! 18

Ich habe meinen Fotoapparat verloren.
Und was sonst?

ACHTUNG!
Nicht vergessen!

'Ich habe ____ verloren'.
Verbs that start with **ver-** do not add **ge-** in the perfect tense.

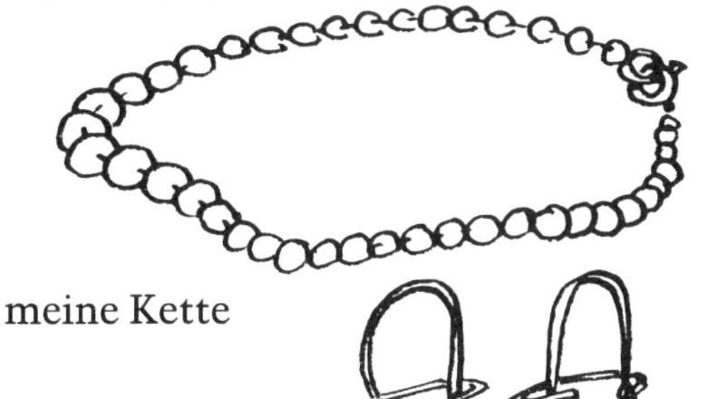

meine Kette

meine Ohrringe

meine Uhr

meinen Ring

meinen Ausweis

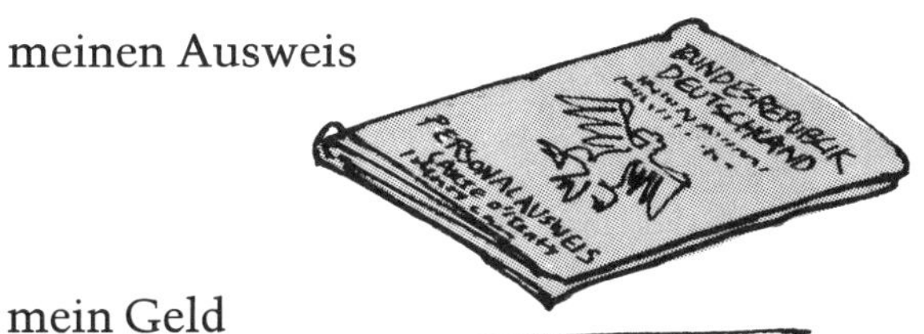

meinen Paß

mein Geld

mein Portemonnaie

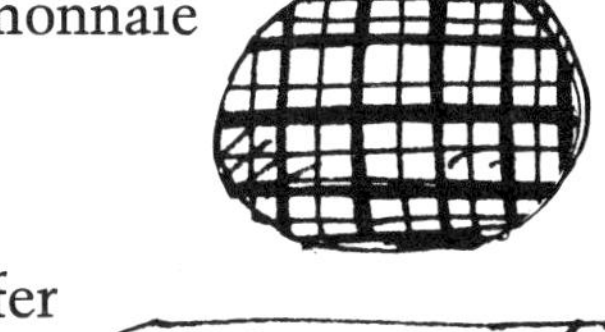

meinen Rucksack

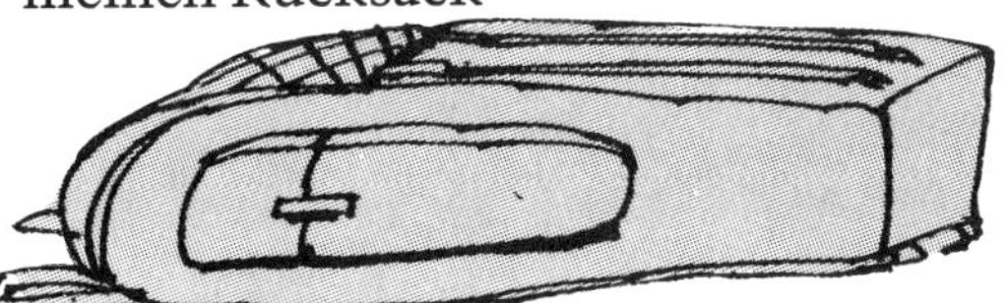

meinen Koffer

meine Schlüssel

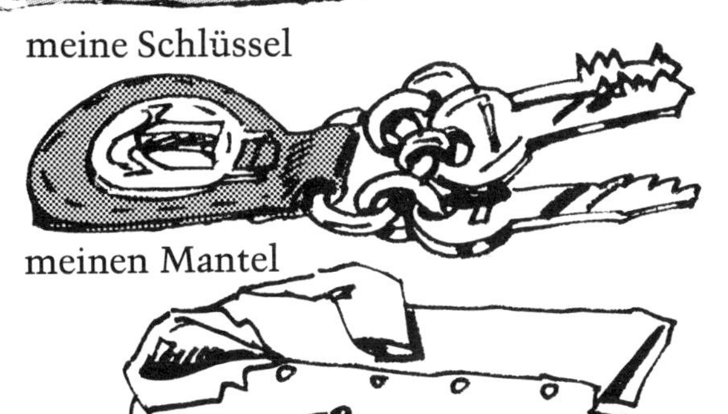

meinen Mantel

meine Tasche

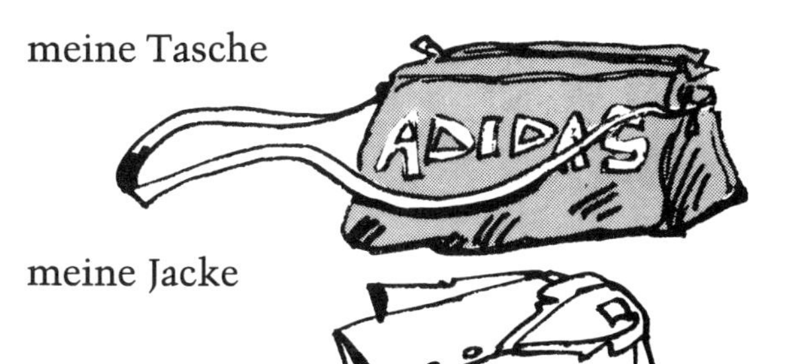

meine Jacke

Haben Sie meinen Regenschirm gefunden?
Und was sonst?

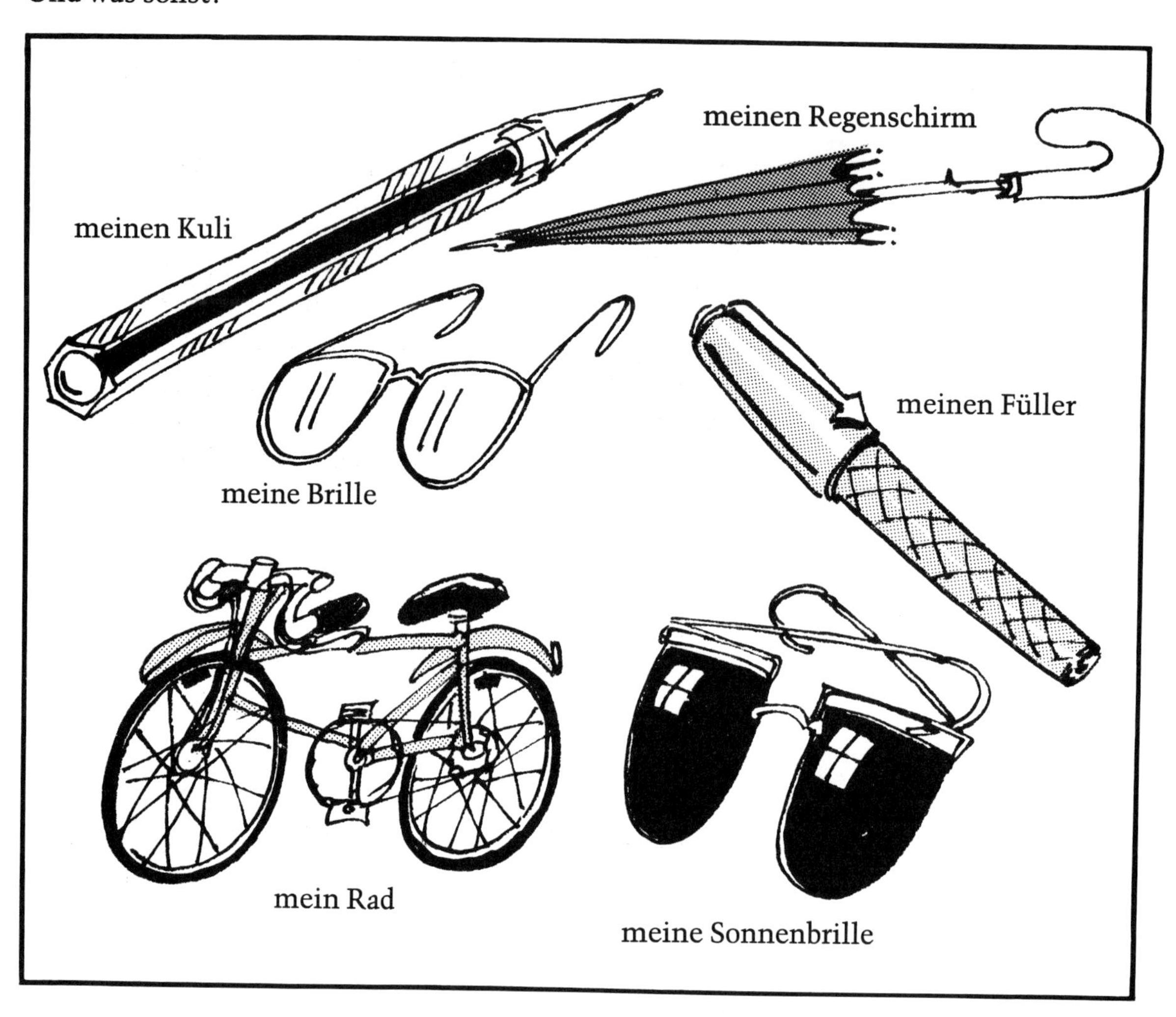

Was?	**Wie?**
say you've lost something	Ich habe meine Tasche verloren.
say you've left it somewhere	Ich habe meine Tasche im Zug vergessen.
ask if it has been found	Haben Sie meine Tasche gefunden?
ask if it has been seen	Haben Sie meine Tasche gesehen?

Kapiert?

You will hear five people at the lost property office (das Fundbüro). Each one has lost one of the items pictured on this or the last page. Write down the numbers 1–5 and after each one write what has been lost.

Wie sieht es aus?

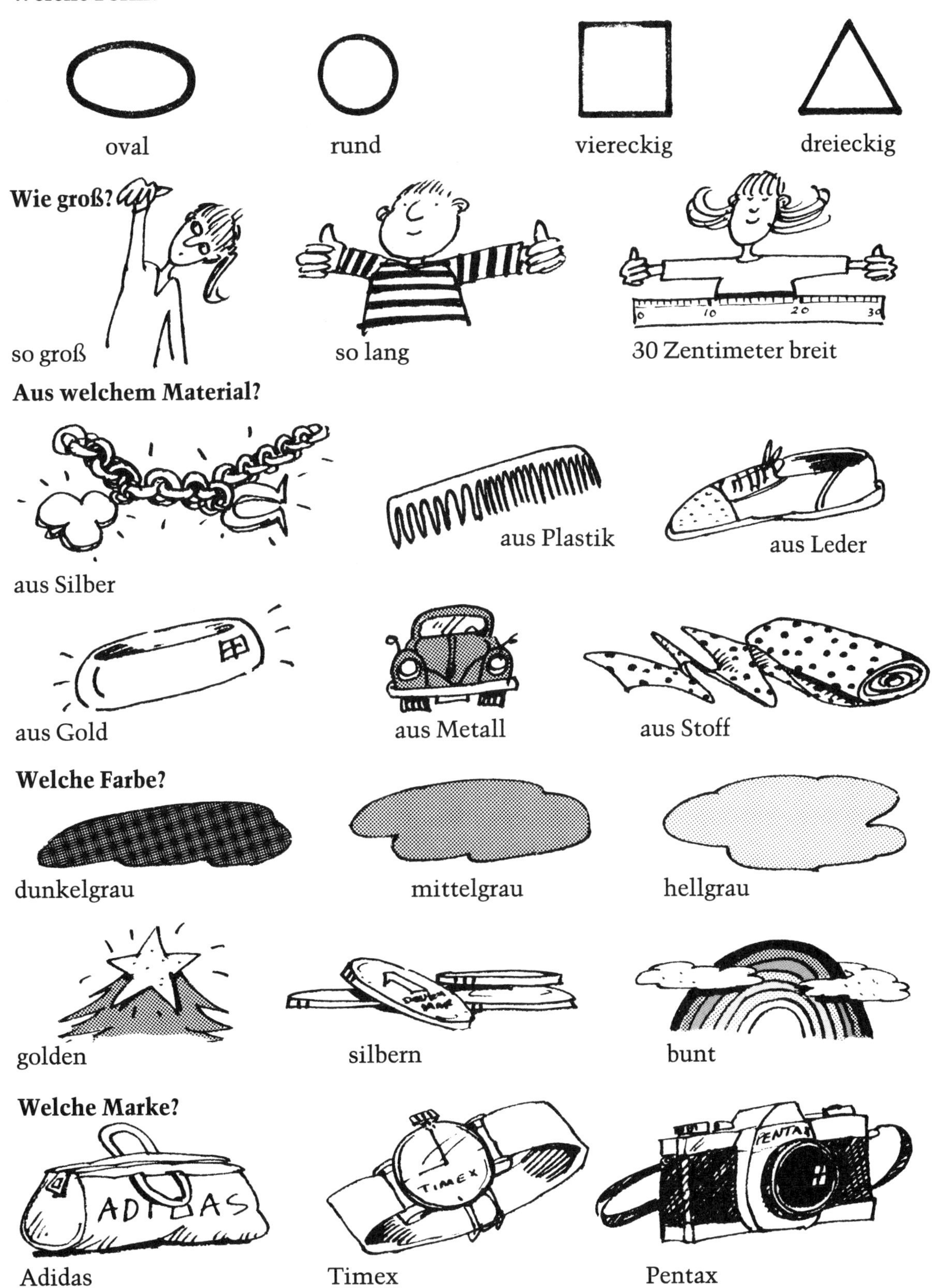

Was?	Wie?
ask if you can help	Bitte schön? Kann ich dir helfen? Kann ich Ihnen helfen?
ask someone to describe something	Wie sieht es aus? Kannst du es beschreiben? Können Sie es beschreiben?
ask what colour it is	Welche Farbe hat der Mantel?
ask what shape it is	Welche Form hat das Portemonnaie?
ask what size it is	Wie groß ist er/sie/es?
ask what it is made of	Aus welchem Material ist die Jacke?
ask what make it is	Welche Marke ist der Fotoapparat?
ask when it was last seen	Wann hast du ihn/sie/es zuletzt gesehen? Wann haben Sie ihn/sie/es zuletzt gesehen?
say you've got it	Das haben wir hier.
say you haven't got it	Das haben wir nicht hier.
say you're sorry	Es tut mir leid.

Wie klug bist du?

Can you make your own wordsearch in German? Draw a grid twelve squares by twelve. Think of the words for items you might lose and write them into the grid so that they can be read in any direction. Keep a note of what you have put. Fill the blank squares with random letters.
Now see how many words your partner can find.

ACHTUNG!
Nicht vergessen!

There are several words for 'it' in German.

er **sie** **es**	can be used at the start of a sentence
ihn **sie** **es**	are the accusative forms

Und jetzt du!

Partner **A** hat etwas verloren.
1 Say good morning.
3 Say you have lost your suitcase.
5 Show him or her.
7 Reply.
9 Reply.
11 Say in the train to Stuttgart.

Partner **B** arbeitet im Fundbüro.
2 Reply and ask if you can help.
4 Ask how big it is.
6 Ask what colour it is.
8 Ask what it is made of.
10 Ask where it was last seen.
12 Say you're sorry, you haven't found it.

Im Fundbüro

Imagine you work at a lost property office in London. You often have to cope with German-speaking tourists who have lost their possessions. Write down the details of these people's losses in English for your colleagues.

Hans: Ich habe meinen Koffer verloren. Er ist braun, aus Leder und ganz groß.

Martina: Ich habe meinen Ring verloren. Er ist aus Gold und war ein Geschenk von meiner Mutter.

Mario: Ich habe meinen Reisepaß im Zug vergessen. Er ist dunkelrot.

Anke: Ich habe mein Portemonnaie vergessen. Es ist rund, hellgrün und aus Plastik. Da waren 15 Mark und einige Briefmarken darin.

Luisa: Ich habe meine Halskette verloren. Sie ist silbern, mit einem Kreuz daran. Sie war ein Geschenk von meiner Oma.

Kapiert?

As you listen to the tape, study the pictures below. Write the letters in the order the items are mentioned and you will find a word. (There will be some letters left over.)

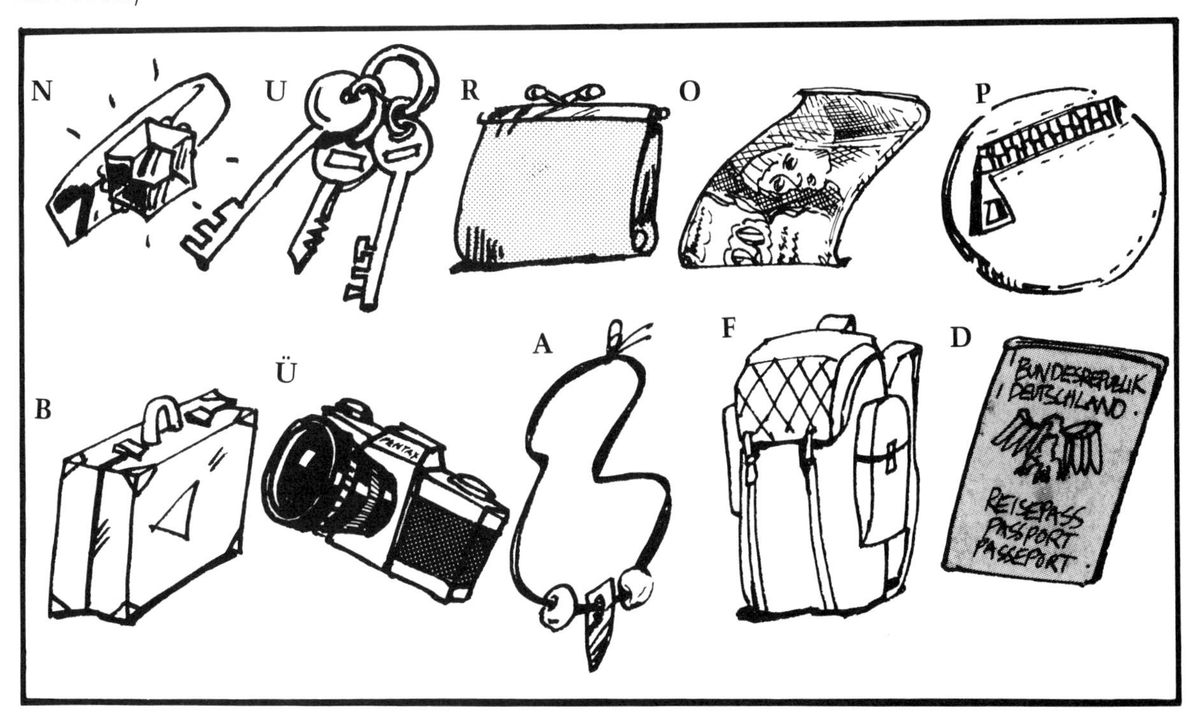

Kannst du lesen?

Read the newspaper clips then answer the questions in English.

1 What is Kim?
2 Is Kim male or female?
3 Is Kim big or small?
4 What should you do if you find Kim?
5 Who has lost Kim?

Wo ist unsere Kim?

Bitte geben Sie uns unsere

Yorkshirehündin

wieder zurück.

Besonderes Kennzeichen: sehr kleiner Wuchs. Haben Sie ein Herz und melden Sie sich unter Tel. (05 21) 17 93 92 o. (05 21) 29 09 18. Sie erhalten sehr hohe Belohnung. Bei Diebstahl erfolgt keine Anzeige.

Robert Lavigne
und Uwe Belke

Ehewünsche

Krankenschwester, 25 Jahre, 1,62 groß, gutaussehend, aufgeschlossen, mit langen blonden Haaren. Sie liebt ihren Beruf und hat eine sehr hübsche Wohnung. Durch ihren natürlichen Charme ist sie überall beliebt. Da sie nicht gern in Diskotheken geht, möchte sie auf diesem Wege einen netten jungen Mann kennenlernen, der Verständnis für ihren Beruf hat. Sie wartet voller Freude auf Deinen Anruf. Bitte, ruf sie gleich an.

6 What is this person looking for?
7 What is her age?
8 Describe her hair.
9 Does she have a house or a flat?
10 Where does she not like to go?

Verloren/Gefunden

Goldene Armbanduhr verloren, Erinnerungsstück, geg. Belohnung. XA 5092

Seiko-Quarzuhr verloren m. versteckter Gravur geg. Belohnung ☎ 12 10 02.

Kater entlaufen, Siamese, grau/schw. m. weißen Pfoten. Belohnung. Sa. ab 15 Uhr ☎ (0 52 09) 54 54.

Ich habe am 7. 6. bei der Trauerfeier im Cafe Winkler, am Sennefriedhof, irrtümlich einen falschen blauen Blazer mitgenommen. Wer hat meinen? ich bitte um Meldung unt. ☎ (0 52 24) 72 23.

11 **Belohnung** means reward. How many of these advertisements offer one?
12 What has the first person lost?
13 Has the Seiko been lost or found?
14 Can you describe the lost cat?
15 What colour blazer did the last person accidentally walk off with? What does he or she want to know?

Rätsel

Was ist denn das?

1 Er ist groß und viereckig. Er ist braun und aus Leder. Drinnen sind zwei Paar Schuhe, zwei Hosen, vier Paar Socken, zwei Pullover, vier Blusen, Unterhosen, Seife, Zahnpasta, Zahnbürste, ein Buch und meine Kamera.

2 Sie ist ziemlich klein, oval und aus Silber. Das Armband ist blau und aus Leder. Die Marke ist Longines.

3 Es ist rund, rot und aus Plastik. Drinnen waren ein Schlüssel, DM 23 – zwei Zehnmarkscheine, ein Zweimark- und ein Einmarkstück, und außerdem ein Schild mit meinem Namen und meiner Adresse.

Kannst du lesen?

Read the letter below, then write the answers to the questions in your exercise book.

Sehr geehrte Damen und Herren!

Am Montag, den 20. Juni, habe ich meinen Regenschirm im Zug von Amsterdam nach Köln vergessen. Es war der Zug, der um 11.30 Uhr in Amsterdam abfährt. Ich war in Wagen Nr 17.

Mein Schirm ist klein. Es ist ein Taschenschirm Marke: Knirps. Er ist blau und grün kariert.

Wenn Sie meinen Schirm gefunden haben, können Sie ihn mir bitte senden. Meine Adresse ist:

Warren Johnson
13 Egerton Walk
Moston
Manchester 10

Vielen Dank
Mit freundlichem Gruß
Warren Johnson

1 Was hat Warren verloren?
2 Wo hat er es verloren?
3 Wann hat er es verloren?
4 Wie sieht es aus?
5 Was ist Warrens Adresse?

Try to write a similar letter in German in your exercise book.

Hoffentlich Allianz versichert!

This is the form Hans was asked to fill in at the lost property office when he reported the loss of his suitcase. He had to give the date and place he lost it, say what it was, and describe it. He also had to state its value.

Look at how he filled in the form, then read the passage underneath it.

Name: Saal Hans

Verlustdatum: 12.7.1986

Verlustort: Steglitz (Berlin)

Gegenstand: Koffer

Beschreibung: braun, aus Leder

Wert: 150,– DM

Hans hat seinen Koffer am zwölften Juli in Steglitz (Berlin) verloren. Der Koffer ist braun und aus Leder. Er hat hundertfünfzig Mark gekostet.

Fill in more insurance claim forms for these people.

1. Anke hat ihren Ring am dritten Februar in Duisburg verloren. Der Ring ist aus Gold und hat hundertzwanzig Mark gekostet.
2. Martin hat seine Uhr am siebten Mai in Linz verloren. Die Uhr ist schwarz, mit einem schwarzen Armband aus Plastik. Sie hat vierhundertfünfundzwanzig Schilling gekostet.
3. Silvia hat ihr Portemonnaie am zehnten August in einer Bank in Schaffhausen liegenlassen. Das Portemonnaie ist rot, aus Leder. Es hat nur zehn Franken gekostet, aber darin waren zweihundert Franken.

Kannst du mehr?

Make up your own descriptions of lost items.

Wiederholung Sechs

Partnerarbeit

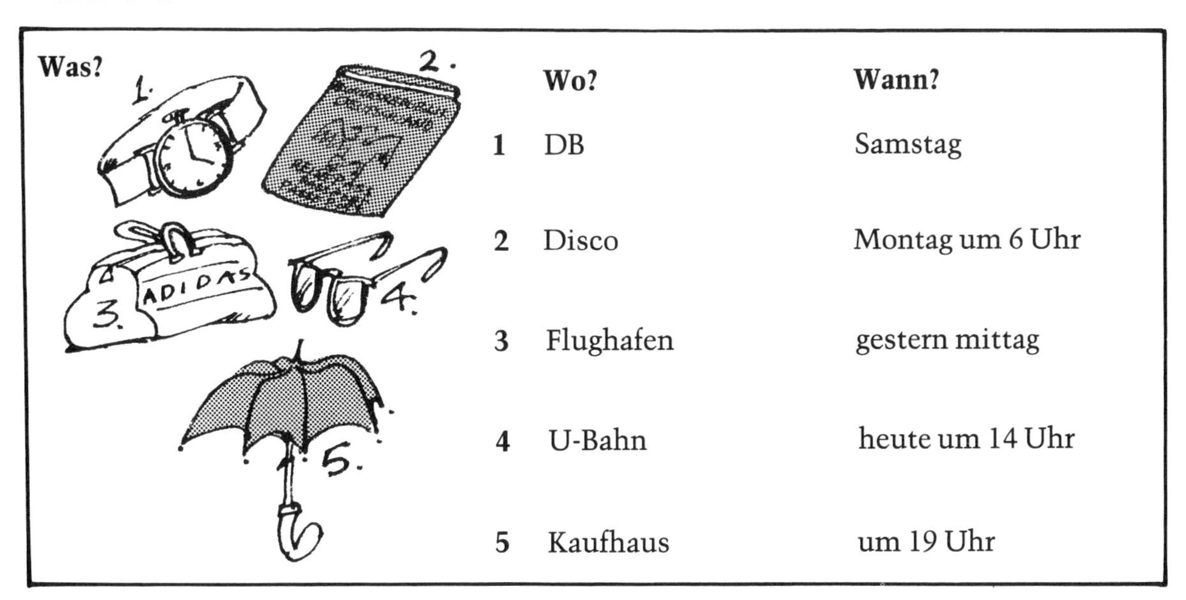

	Wo?	Wann?
1	DB	Samstag
2	Disco	Montag um 6 Uhr
3	Flughafen	gestern mittag
4	U-Bahn	heute um 14 Uhr
5	Kaufhaus	um 19 Uhr

Partner **A** arbeitet im Fundbüro.

1 Say hello.
3 Ask if you can help.
5 Ask **B** to describe the item.
7 Ask where **B** lost the item.
9 Ask when **B** lost the item.
11 Ask for **B**'s address and phone number.

Partner **B** hat etwas verloren.

2 Reply.
4 Say what you have lost.
6 Give size, colour, make, material, etc.
8 Tell **A**.
10 Tell **A**.
12 Give your personal details.

Now swap roles.

Kapiert?

Each of these five people has lost something.
Copy the grid and complete it in English.

	What?	Description	Where?	When?
1				
2				
3				
4				
5				

NOW YOU ARE READY FOR WAYSTAGE 6.

19 Wie geht's? Danke, nicht so gut 19

Wo tut es weh?

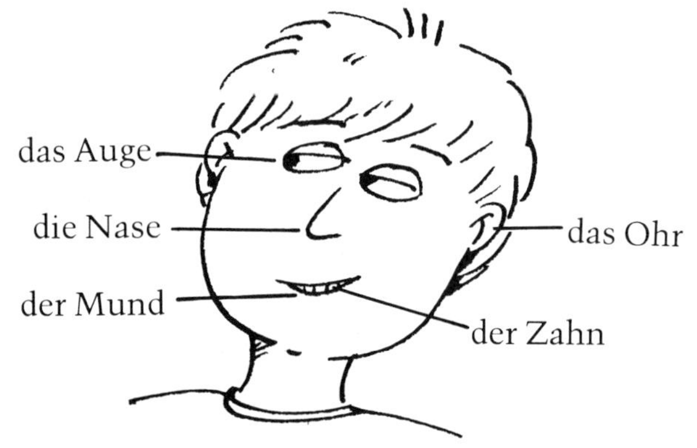

Mein Kopf Zahn Hals Arm Finger Bauch Bein Fuß	tut weh.
Meine Hand Nase	
Meine Augen Ohren Zähne Hände Füsse Beine	tun weh.

Pluralformen	
ein Auge ein Ohr	zwei Augen zwei Ohren
ein Fuß ein Zahn eine Hand	zwei Füsse zwei Zähne zwei Hände
ein Arm ein Bein	zwei Arme zwei Beine

Was hast du?

Ich habe Kopfschmerzen.

Ich habe Ohrenschmerzen.

Ich habe Zahnschmerzen.

Ich habe Halsschmerzen.

Ich habe Bauchschmerzen.
Ich habe Magenschmerzen.

Ich habe Fieber.

Ich habe Schnupfen.

Ich habe Husten.

Kapiert?

Copy this list of Doktor Hermann's patients. As he goes on his rounds, note what is wrong with each person.

Frau Grieß
Herr Schmidt
Anja Felker
Konrad Baum

Kannst du das lesen?

DIE BESUCHSZEITEN

Was wäre ein Krankenhausaufenthalt ohne den Besuch Ihrer Angehörigen, Verwandten, Bekannten, Freunde, Kollegen . . . Aber alles mit Maß und Ziel. Sie selber und Ihre Mitpatienten brauchen für Ihre Genesung viel Ruhe — und Ärzte und Pflegepersonal müssen ihre Arbeit ungestört verrichten können. Die Besuchszeiten dürfen daher ein gewisses Ausmaß nicht überschreiten.

*

Im Landeskrankenhaus Salzburg gilt folgende Besuchszeitregelung:

Allgemein:
Täglich von 14–16 Uhr, außerdem an Sonntagen von 10–12 Uhr und von 14–17 Uhr.

Where would you see this? What does it tell you?

Beim Arzt

The patient records have got muddled at the doctor's. Unravel the lines and say what is wrong with each patient.

Beispiel: Herr Groß hat Fieber.

Now ask and answer questions like this:
— Was hat Herr Groß?
— Er hat Fieber.

Was?	**Wie?**
say someone is ill	Moritz ist krank.
ask what is wrong	Was hat er? Was hast du? Was haben Sie?
ask what hurts	Was tut weh? Wo tut es weh?

Und jetzt du!

A is the doctor, **B** is the patient. Make up a conversation. Here is an example.

A: Guten Tag. Wie geht's?
B: Danke, nicht so gut.
A: Was hast du?
B: Ich habe Kopfschmerzen.

Ich bin Organspender für Transplantationen

Name

Straße

PLZ/Ort

Geburtsdatum Unterschrift

Bitte in den Personalausweis einlegen!

Im Falle meines Todes bitte umgehend Nachricht geben an die:
Organisationszentrale Nierentransplantation
Telefon (Tag und Nacht):
oder informieren Sie das nächste Transplantationszentrum.
(06102) 39999

Would you fill this in?
What is it for?

— Guten Tag. Haben Sie etwas gegen Halsschmerzen?
— Ja sicher. Diese Bonbons sind gut.

— Guten Tag. Ich habe Kopfschmerzen. Haben Sie Aspirin?
— Ja natürlich. Drei Mark bitte.

— Guten Tag. Haben Sie etwas gegen Bauchschmerzen? Ich habe zuviel gegessen!
— Diese Tabletten sind gut. Die kosten zwei Mark vierzig.

— Guten Morgen. Haben Sie etwas gegen Ohrenschmerzen?
— Nein, Sie müssen zum Arzt.

Was?	Wie?
ask for a remedy	Hast du etwas gegen ...? Haben Sie etwas gegen ...?
say someone needs to see a doctor	Er muß zum Arzt. Du mußt zum Arzt. Sie müssen zum Arzt.
say someone needs to go to hospital	Er muß ins Krankenhaus. Du mußt ins Krankenhaus. Sie müssen ins Krankenhaus.
say you need a dentist	Ich muß zum Zahnarzt.

Und jetzt du!

Partner **A** geht in die Apotheke.
Partner **B** arbeitet in der Apotheke.

Partner A: Explain to your partner that you are ill, or that your friend is ill, and ask for a remedy.
Partner B: Offer a remedy, or recommend a visit to the doctor or to a hospital.

Contra-stark für die Erkältung?

Contramutan®

siegt mit Körper-Abwehrkräften.

Gut zu wissen:

Contramutan ist zu jeder Tageszeit risikolos einnehmbar, weil es nicht ermüdet. Deshalb: Nicht erst bis zum Abend warten.

Es enthält ausschließlich pflanzliche Wirkstoffe.

Kinder vertragen es ausgezeichnet.

Als Tropfen, Saft, Dragees und Kinderzäpfchen in jeder Apotheke erhältlich.

EINE STARKE MEDIZINISCHE LÖSUNG. DIE NEUE GURGELLÖSUNG VON LARYLIN. MAN KANN HALSSCHMERZEN EINFACH WEGGUUUURRRGELLLN.

Schnell Schluß mit dem Kopfschmerz

In Sekunden zerfällt Eu-Med in Wasser in feinste Teilchen. Die zuverlässige und verträgliche Wirkstoffkombination entfaltet ihre Wirkung schnell.

Die schnelle Eu-Med

Multi-Sanosvit mit Eisen für Schüler, die viel lernen müssen. Stärkt die Konzentration. Fördert die Leistung.

In Apotheken und Drogerien.

Bisolvon-Linctus beseitigt die Ursache des Hustens: Er löst den tief in den Bronchien festsitzenden Schleim und befreit so von quälendem Husten. Sie können wieder richtig tief und frei durchatmen.

Bisolvon-Linctus ist ausgezeichnet verträglich – für die ganze Familie.

Bisolvon-Linctus – der Hustensaft mit der anerkannten Wirkung

Bei Schnupfen RhinoSpray

RhinoSpray in die Nase sprühen, und die verstopfte Nase wird befreit. Es hilft im Nu, ist gut verträglich und wirkt für Stunden. Am Tag genauso wie bei Nacht. So können Sie auch bei Schnupfen wieder besser durchschlafen.

RhinoSpray bekommen Sie in Ihrer Apotheke.

RhinoSpray macht sofort die Nase frei

Kannst du lesen?

Read the advertisements carefully, then answer the following questions.

1 Which medicines are only available in a pharmacy (**Apotheke**)?

2 Which medicine(s) would help you if you were suffering from the following?

a a headache
b a cough
c a sore throat
d a cold or flu
e a blocked-up nose
f too much homework!

3 How would you take each medicine?

Auf der Post

Ein Brief nach Siegen (BRD) kostet achtzig Pfennig.

Dieser Brief geht nach England. Das kostet eine Mark.

Jörg schickt eine Postkarte nach Hamburg (BRD). Das kostet sechzig Pfennig.

Regina will diese Postkarte an ihren Freund in Holland schicken. Das kostet sechzig Pfennig.

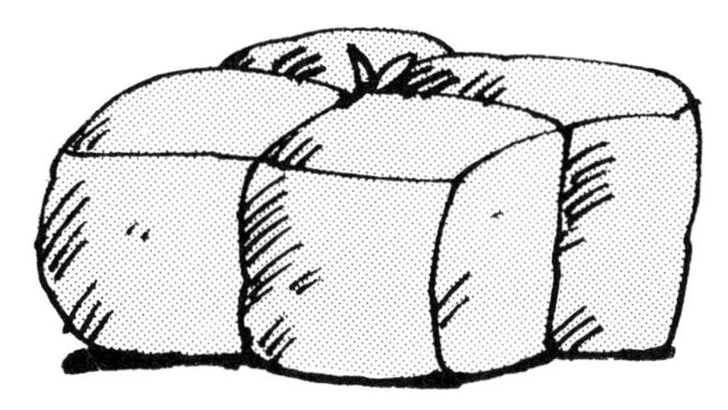

Dieses Paket ist sehr schwer und kostet zehn Mark.

Hier ist eine deutsche Briefmarke.

Und hier sind zwei schweizer Briefmarken.

Das ist neu

der Brief (-e)	letter
die Postkarte(-n)	card
das Paket (-e)	parcel
schicken	to send
die Briefmarke(-n)	stamp
der Postbeamte die Postbeamtin	post office clerk

Weißt du noch?

der Brief
dieser Brief

die Postkarte
diese Postkarte

das Paket
dieses Paket

Was kostet ein Brief nach . . . ?

Was?	Wie?
ask about postal charges	Was kostet ein Brief nach ____?
say what you are sending	Ich will einen Brief nach England schicken.
buy stamps	Eine Briefmarke zu 80 Pfennig. Zwei Briefmarken zu 1 Mark.

Kapiert?

Match each customer with a picture. There are five speakers, so there will be some pictures left unused.

Und jetzt du!

Look at the pictures above again. Take turns to be the post office clerk and the customer. Tell the clerk you want to send one of the above items. Say where you are sending it, and find out the cost. A chart is given to help you.

Wohin?	Brief	Postkarte
BRD	DM0,80	DM0,60
Österreich	DM0,80	DM0,60
Frankreich	DM0,80	DM0,60
Großbritannien	DM1,00	DM0,70

Tracy telefoniert

Tracy ist zu Besuch bei ihrer Brieffreundin in Oldenburg. Das ist in der Bundesrepublik, im Norden, nicht weit von Bremen.

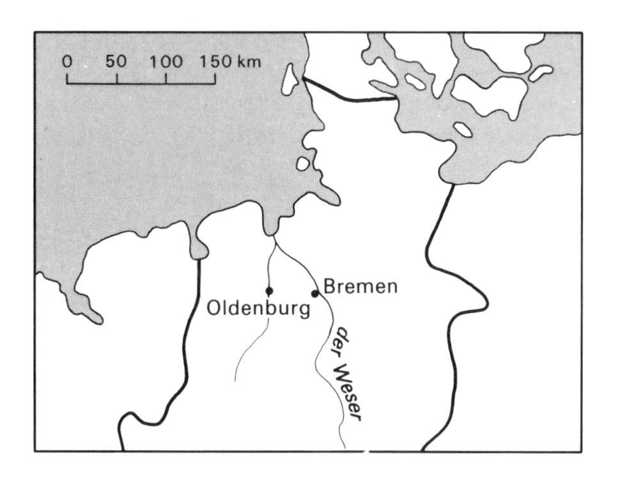

Sie will nach Hause telefonieren und ihrer Familie alles erzählen. Sie kann von Elkes Haus aus telefonieren, oder von einer Telefonzelle in der Stadt. Sie geht lieber in eine Telefonzelle. Dann weiß sie, was das kostet.

So sieht eine Telefonzelle in der Bundesrepublik aus. Sie ist gelb, wie die Briefkästen und die Postautos. Tracy muß eine Telefonzelle mit dem grünen Schild INTERNATIONAL finden, weil sie nach England telefoniert.

Sie muß erstmal ihr Geld einwerfen, dann die Nummer wählen. Die Vorwahl für Großbritannien ist 00–44. Dann wählt sie ihre englische Nummer. Tracy kommt aus London, und ihre Nummer ist 01–432–6025. Sie darf die Null nicht wählen. Sie wählt also diese Nummer:

00–44–1–432–6025

Dann klingelt es bei ihrer Mutter in London.

Antworte auf englisch

1. Who is Tracy staying with?
2. Where exactly does this person live?
3. What does Tracy want to do?
4. Why doesn't she use Elke's phone?
5. What colour is a German phone box?
6. What colour is the sign that tells you you can make an international call?
7. What do you do first?
8. What is the code for Britain from Germany?
9. Do you have to dial the STD code for your town?
10. What figure do you need to leave out?

Kapiert?

Here are some German telephone codes and a map of West Germany.

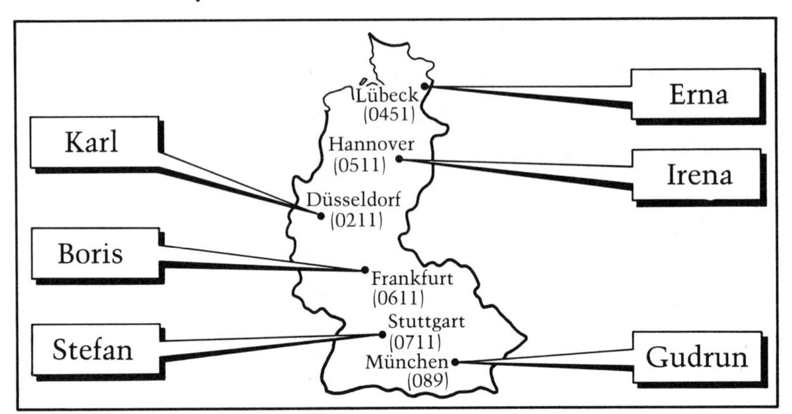

Look at the map to find out where people live. Then listen to the recording of people dialling phone numbers. They say each number as they dial it. Write down in what order people on the map are rung up.

Was?	Wie?
answer your own phone	Hallo, Braun.
answer a friend's phone	Hallo, bei Braun.
say 'speaking'	Am Apparat.
say goodbye on the phone	Auf Wiederhören.
ask if you may phone	Darf ich telefonieren?
ask for a number	Wie ist die Nummer?
ask for a code	Wie ist die Vorwahl?
say who you are	Hier Thomas Ingram.
ask to speak to someone	Kann ich bitte Maria sprechen?

Gruppenarbeit

A ist zu Besuch bei **B**.
A will mit **C** telefonieren.

A

1 Ask **B** if you may use the phone.

B

2 Give permission for **A** to use your phone.

A

3 Ask what **C**'s number is.

B

4 Say it's 4392.

A

5 Ask what the code is.

B

6 Say it's 049.

C

7 Answer the phone.

A

8 Say who you are.
Ask to speak to **C**.

C

9 Say 'speaking'.

A

10 Ask how **C** is.

C

11 Say you're unwell.

Can you continue the conversation any further?

Welches Schild möchtest du kaufen?

Choose suitable signs from the stand above. These are the meanings you want.

1 Ladies
2 Gentlemen
3 Office
4 Private
5 Exit
6 Pull
7 No smoking
8 No Entry
9 Toilet
10 Reception

Autoschilder

Do you remember looking at German car number-plates in Book One?

The first few letters show where the car's owner lives.

Where do these cars come from?

HH WE 752	B TU 245
SI TF 675	BIT HJ 34
M DE 223	

Mehr Schilder

1

Hunde sind
ausnahmslos an der
Leine zu führen

2

Man sieht Schilder überall. Zum Beispiel, im Park und auf der Straße.

Du mußt sehr oft Schilder und Plakate (Posters) lesen und verstehen. Zum Beispiel, wenn du zum Arzt gehen willst und wenn du ins Konzert oder in die Kirche gehen möchtest.

5

Die
Stadtmusik Imst
lädt die Bevölkerung
und Gäste zu ihrem
Platzkonzert
herzlichst ein
Freitag, 20.30 Uhr,
vor der Sparkasse Imst

3

4

Heilige Messe
Sonntag
9.30
Sa. 18.30

Es gibt langweilige Schilder und auch schöne Schilder.

6

7

Verstehst du das?

VERBOTEN	prohibited
NICHT GESTATTET	not allowed
EINGANG	entrance
AUSGANG	exit
DURCHGANG	thoroughfare
KEIN EINGANG	no entrance
NOTAUSGANG	emergency exit
FREIHALTEN	keep clear
LEBENSGEFAHR	highly dangerous
AUßER SAMSTAGS	except Saturdays

Kannst du jetzt die Schilder verstehen?

Look at the photographs on p. 96 and answer these questions.

1 Who is this notice aimed at?

2 a What is prohibited?
b Why?
c Why might you be tempted to ignore the sign?

3 a Which doctor holds an afternoon surgery?
b Which doctor is a woman?
c Which doctor specializes in internal disorders?
d Which doctor practises on Wednesdays?
e What is Dr Hahn's home phone number?

4 Can you attend mass on a Saturday?

5 a What is being advertised?
b When will it take place?
c Where will it be held?

6 What are you asked to do?

7 Why do you think these people painted the whole garage?

Wie klug bist du?

Unravel these anagrams, then match each one to one of the symbols on the right.

1 ANTANGSUGO
2 ENIK GENGIAN
3 BELESAHRFENG

Wiederholung Sieben

Falsch oder richtig?

Look at these signs, then decide if the statements below are true or false.

Deutsche Raiffeisenbank
Geldwechsel-Euroschecks
geöffnet
Mo–Fr 8–12.30
14–16 Uhr

Change
Cambio
Wechselstube
Hotel Hilton
für unsere Gäste
geöffnet
Mo–Fr 8–24 Uhr
Sa 8–18
So 12–15 Uhr

Dr K Vogel
prakt. Ärztin
alle Kassen
Sprechstunden
Mo Di Do Fr 9–12 17–19
Mi 15–18 Uhr

Dr K Meier
Zahnarzt
alle Kassen
Sprechstunden
Mo–Fr
8–12, 14–18 Uhr

1 You can change money on a Saturday morning at the Deutsche Raiffeisenbank.
2 The bureau de change at the Hilton is open seven days a week.
3 Dr Vogel is a woman doctor.
4 Dr Meier is a family doctor.
5 You can see Dr Vogel on a Wednesday morning.
6 If you have toothache, see Dr Meier.

Kapiert?

These people are at the post office. Copy the grid and fill in the details of what they are sending in English or in German, as you prefer.

	Was?	Wohin?	Wieviel?
1			
2			
3			
4			
5			
6			
7			

Und jetzt du!

A ist Apotheker/Apothekerin

B ist Kunde/Kundin

1 Say good afternoon and ask if you can help.
2 Say good afternoon and say you have a sore throat.
3 Say these pastilles (sweets) are good.
4 Ask when to take them.
5 Say twice a day after meals.
6 Ask the price.
7 They cost DM 6,50.
8 Pay and say goodbye.
9 Say thank you and goodbye.

NOW YOU ARE READY FOR WAYSTAGE 7.

23 Kann ich hier Geld wechseln? 23

Einen schönen Urlaub, frei von den Verpflichtungen des Alltags, und eine gesunde Rückkehr von Ihrer Reise wünscht Ihnen Ihre

Sparkasse

Wenn du deutsches, österreichisches oder schweizer Geld kaufen willst, gehst du am besten in eine Bank oder in eine Wechselstube. Karen ist zu Besuch in Roding, in Süddeutschland. Sie braucht Geld, aber sie weiß nicht, wo sie ihr englisches Geld wechseln kann. Sie fragt einen Mann.

1 Auf der Straße

Karen: Entschuldigung. Wo kann ich hier Geld wechseln?
Mann: In der Regensburger Straße ist eine Bank.
Karen: Wann macht die Bank auf?
Mann: Um zehn Uhr, glaube ich.

2 In der Bank

Karen: Kann ich hier englisches Geld wechseln?
Beamter: Ja, wieviel?
Karen: Fünfzig Pfund.
Beamter: Ihren Paß bitte.
Karen: Bitte schön.
Beamter: So, Sie bekommen das Geld an Kasse zwei.

Was?	**Wie?**
ask where you can change money	Wo kann ich hier Geld wechseln?
... and traveller's cheques	Wo kann ich Reiseschecks wechseln?
say you'd like to change English money	Ich möchte englisches Geld wechseln.
ask if there is a bureau de change	Ist hier eine Wechselstube?
ask when the bank opens	Wann macht die Bank auf?

Kapiert?

Wer bekommt was?

Copy the grid, then tick it to show which customer receives which amount.

	1	2	3	4
DM 130				
DM 75				
DM 50				
DM 250				

KASSENSTUNDEN
MONTAG-MITTWOCH
u. FREITAG
8^{30}-13^{00} · 14^{00}-16^{00}
DONNERSTAG
8^{30}-13^{00} · 14^{00}-18^{00}

Wann macht die Bank auf?

Gruppenarbeit

A will Geld wechseln
B ist auf der Straße
C ist Bankbeamter

Auf der Straße

A: Ask **B** where you can change money.
B: Say there is a bank in Hauptstraße.
A: Ask when it opens.
B: You think it opens at 2 o'clock.
A: Ask how to get there.
B: It's straight ahead and then the second on the left.
A: Say thank you.

Auf der Bank

A: Say you would like to change English money.
C: Ask how much.
A: State the amount in pounds.
C: Ask to see the customer's passport.
A: Hand it over.
C: Tell the customer to collect the money from the cashier.

Dieser Rock ist kariert.

Dieser Rock ist gestreift.

Diese Hose ist eng.

Diese Hose ist weit.

Dieses Kleid hat einen Kragen.

Dieses Kleid hat einen Gürtel.

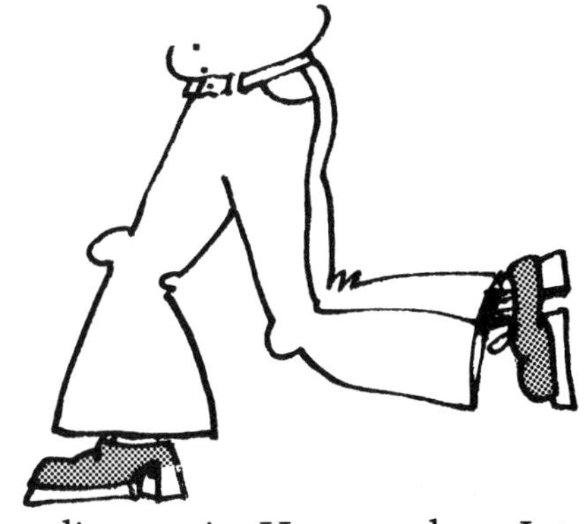

1976 war diese weite Hose modern. Jetzt ist sie unmodern.

1982 war dieser kurze Rararock modern. Jetzt ist er unmodern.

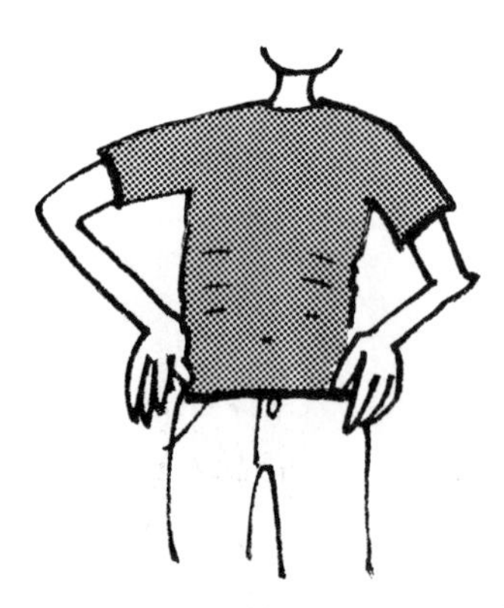

Ist dieses enge Hemd immer noch modern?

Ist diese karierte Hose modern oder nicht?

Dieses T-Shirt ist jetzt schon unmodern, oder?

Wie findest du diesen Kragen? Modern?

1984 waren diese Sportschuhe modern.
Sind sie immer noch modern?

Dieser Minirock war 1968 und 1982 modern. Ist er jetzt modern?

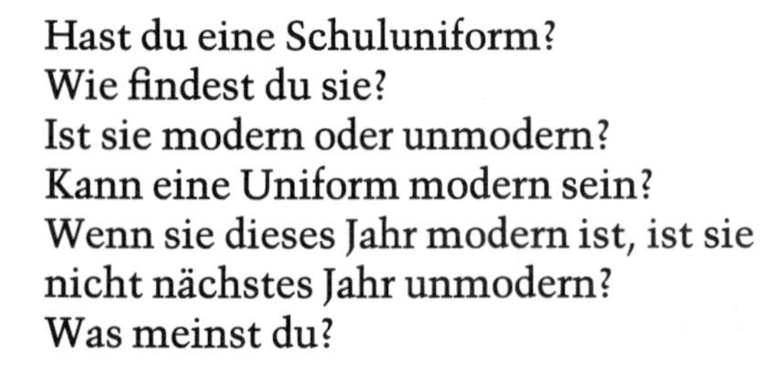

Hast du eine Schuluniform?
Wie findest du sie?
Ist sie modern oder unmodern?
Kann eine Uniform modern sein?
Wenn sie dieses Jahr modern ist, ist sie nicht nächstes Jahr unmodern?
Was meinst du?

Kapiert?

Was haben sie gekauft?
Match the speakers to the pictures of what they have bought. Write your answers in the form **1a** or **1b**.

Was?	Wie?
ask if you can help	Kann ich Ihnen helfen?
say you want to look around	Ich will nur gucken. Wir wollen nur gucken.
ask to try something on	Darf ich das anprobieren?
say it fits	Das paßt
say they fit	Die passen.
say it is too big	Das ist zu groß.
say it is too small	Das ist zu klein.
ask which size is wanted	Welche Größe wollen Sie?
say which size you want	Ich will Größe 38.

Im Geschäft

Julia und Claudia gehen einkaufen. Sie sind jetzt in einer Boutique.

Verkäuferin: Kann ich Ihnen helfen?
Claudia: Danke, wir wollen erstmal gucken.
Verkäuferin: Bitte schön.

. . .

Julia: Entschuldigung. Was kostet dieses gestreifte Kleid?
Verkäuferin: Moment mal. Siebzig Mark.
Julia: Darf ich das anprobieren?
Verkäuferin: Ja sicher. Welche Größe haben Sie denn?
Julia: Achtunddreißig.

. . .

Claudia: Oh, das paßt dir gut. Du siehst toll aus! Nimmst du das?
Julia: Ja, ich glaube schon.

Richtig oder falsch?

Schreib sechs korrekte Sätze.

1 Claudia und Julia wollen nur gucken.
2 Das Kleid ist kariert.
3 Es kostet neunzehn Mark.
4 Julia will das Kleid anprobieren.
5 Julia hat Größe sechsunddreißig.
6 Das Kleid paßt nicht sehr gut.

ACHTUNG!

Adjectives (describing words) have endings (extra letters) when they come in front of the nouns they describe. Read all about it on page 141.

Im Jeansladen

Markus will Jeans kaufen. Er ist im Jeansladen.

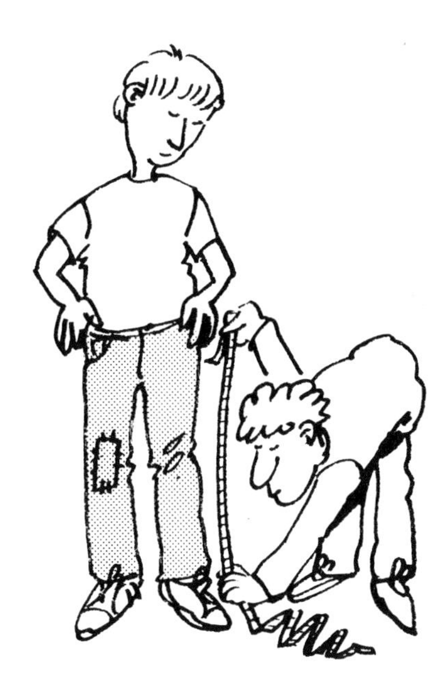

Verkäufer: Kann ich Ihnen helfen?
Markus: Ich will Jeans kaufen.
Verkäufer: Welche Größe haben Sie denn?
Markus: Das weiß ich nicht.
Verkäufer: Darf ich Sie messen?
Markus: Bitte.
Verkäufer: So, Größe dreißig. Wieviel wollen Sie bezahlen?
Markus: So ungefähr DM 70.
Verkäufer: Diese Levis zu DM74 sind jetzt modern.
Markus: Darf ich sie anprobieren?
Verkäufer: Gerne.
Markus: Ja, die passen gut. Die nehme ich.

Antworte auf deutsch.

1 Was will Markus kaufen?
2 Welche Größe hat er?
3 Wieviel will er bezahlen?
4 Was kosten die Levis?
5 Passen die oder nicht?
6 Nimmt er sie oder nicht?

Welche Größe? (Which size?)

Schuhgrößen In Germany continental shoe sizes are used. Here is a chart comparing the German and English sizes.

Deutsch	35	36		37		38		39		40		41
Englisch	3	3½	4		4½	5	5½		6	6½	7	7½

Deutsch	42		43		44		45		46
Englisch	8	8½		9	9½	10		10½	11

Damengrößen

Deutsch	34	36	38	40	42
Englisch	8	10	12	14	16

Herrengrößen

Deutsch	40	42	43	44	46	48	50
Englisch	32	34	36	38	40	42	44

Jeans Jeans are easy to buy in Germany because English sizes are used.

Und jetzt du!

A ist der Verkäufer/die Verkäuferin

1 Ask if you can help.

3 It costs DM 53.

5 Say certainly.

B ist der Kunde/die Kundin

2 Say you'd like to look round. Ask the price of the jumper.

4 You want to try it on.

Was?	**Wie?**
ask where your friend bought something	Wo hast du das gekauft?
say where you bought it	Ich habe ihn / sie / es bei C&A gekauft.
ask what it cost	Was hat das gekostet?
say what it cost	Er / Sie / Es hat DM 25 gekostet.

Kapiert?

Was haben sie gekauft, und wo?

Copy the grid, and put the buyer's initial in the right square.
The speakers are Melanie, Sven, Annette, Lutz, and Tanja, but not in that order.

Hör gut zu!

	Pulli	Rock	Jeans	Bluse	Strümpfe
C&A					
Kaufhof					
Kleider und Mode					
Jeans Shop					
Karstadt					

Gekauft oder geklaut?

Not everyone is as honest as they might be! These youngsters are all being questioned at the police station (**die Polizeiwache**) on suspicion of shoplifting (**Klauen**). Act out the interviews with your partner, taking turns to be the detective.

Detektiv: Wo hast du diesen Pulli gekauft?
Marika: Bei Karstadt.
Detektiv: Wo ist der Kassenbon? (*receipt*)
Marika: In meiner Tasche.

Detektiv: Wo hast du diese Jeans gekauft?
Jörg: Im Jeansladen.
Detektiv: Wo ist der Kassenbon?
Jörg: Ich habe ihn verloren.

Was?	**Wie?**
ask where someone bought something	Wo hast du das gekauft? Wo haben Sie das gekauft?
say where you bought it	Im ____ laden /-geschäft. In der ____ abteilung. Bei + *name of shop* – bei Woolworth. Beim Coop.

Wo hast du das gekauft?

In German, ask five people in your class where they bought their clothes and what they paid. Draw up a chart like this.

	Mark	Tracy	Nicky	John
Pullover	M&S £7.50	Coop £5	Markt £5.50	Tesco £6.50
Hemd/Bluse				
Rock/Hose				
Schuhe				

Then tell your teacher your findings.

Beispiel: John hat seinen Pulli bei Tesco gekauft. Der hat sechs Pfund fünfzig gekostet.

Was kann man hier kaufen?

Hier sind Fotos von Geschäften in Deutschland und in Österreich.

Welche Konversation gehört zu welchem Bild?

Match the conversations with the correct photographs.

1 — Was soll es denn sein?
— Super, bitte.
— Volltanken?
— Ja.

2 — Kann ich Ihnen helfen?
— Ich brauche ein Telezoom für meinen Apparat.
— Was haben Sie denn?
— Eine Minolta.

3 — Entschuldigen Sie bitte. Ich suche Winnitou von Karl May.
— Ich hole es dir gleich.

4 — Bitte schön?
— Eine Bravo und eine Rocky, bitte.

5 — Verzeihung. Haben Sie frische Bratwurst?
— Ja natürlich. Wieviel möchten Sie?

Partnerarbeit

A ist Verkäufer/Verkäuferin
B ist Kunde/Kundin

For each photograph make up a conversation between the sales assistant and the customer. Swap roles each time.
To help you there are some phrases in the box and words under each picture.

Ich suche ___	I'm looking for ___
Was kostet ___**?**	What does ___ cost?
Haben Sie ___**?**	Do you have ___?
Ich möchte ___	I'd like ___

diese Schachtel Pralinen

dieses Taschenmesser

ein Taschenbuch auf englisch
ein Buch für meine Schwester

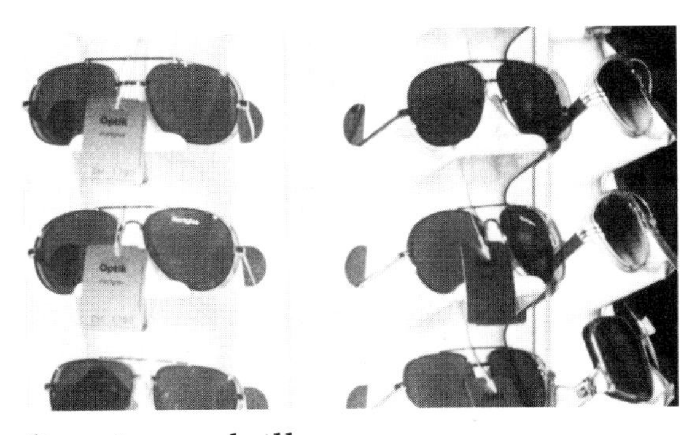
diese Sonnenbrille

eine kleine Flasche Kirschwasser

eine gelbe Kerze

Haben Sie etwas billigeres?

Manchmal kannst du sehr billig einkaufen. In diesem Supermarkt gibt es viele Sonderangebote.

Aber manchmal ist alles viel zu teuer. Was sagst du, wenn etwas zu teuer ist?

Was?	Wie?
say it is expensive	Das ist teuer.
say it is cheap	Das ist billig.
say it is too expensive	Das ist zu teuer.
ask for something cheaper	Haben Sie etwas Billigeres?

Und jetzt du!

Ask the shopkeeper (your partner) the price of various articles, then say if it is too expensive and ask for something cheaper.

Beispiel: — Was kostet dieser Pullover?
— Siebzig Mark.
— Das ist zu teuer. Haben Sie etwas billigeres?
— Ja, hier./Nein, leider nicht.

Here are some ideas to help you.

Wiederholung Acht

Match the pictures to the descriptions in the catalogue. Then answer these questions.

1 You want to buy the blouse. What does a size 12 cost?
2 In how many colours is the skirt available?
3 For what time of year is the shirt intended?
4 In which two colour combinations can you buy the pullover?
5 You want a grey pair of shoes, size 8. What is the order number?

1 Dieser sommerlich-leichte. Pullover wirkt besonders raffiniert durch die asymmetrische Aufteilung seiner Farbflächen. Sportlich rustikales Gestrick aus 100% Polyacryl, daher hautsympathisch, pflegeleicht und formbeständig.

Größen	46	48	DM
gelb/weiß	286.300.9	286.414.9	**49.95**
blau/weiß	329.273.9	329.454.9	

gelb/weiß	315.592.9	312.871.9	315.654.9	315.754.9
blauweiß	329.554.9	329.724.9	329.824.9	331.123.9
DM	**55.-**		**59.90**	

2 Ein Sommerhemd, wie man es sich wünscht: aus reiner Baumwolle, luftig, gestreift und top kombinierbar. Mit Halbarm und Brusttasche. Mäßig tailliert.

Größen	37/38	38/40	41/42
weiß/blau	506.352.9	506.522.9	506.912.9
weiß/schilf	508.032.9	531.330.9	531.691.9
Größen	43/44	45/46	DM
weiß/blau	507.602.9	507.773.9	**19.95**
weiß/schilf	534.652.9	538.682.9	

3 Slipper

Gr.	40	41	42	43
grau	666.244.9	670.773.9	670.782.9	670.813.9
blau	783.182.9	800.124.9	800.324.9	800.684.9
weiß	349.144.9	351.003.9	357.901.9	359.044.9
Größen	44	45	46	DM
grau	670.842.9	710.341.9	782.243.9	**59.90**
blau	810.374.9	840.070.9	840.173.9	
weiß	361.371.9	363.533.9	366.173.9	

4 Oversized und mit modischen Details: kombistarke Bluse aus reiner Baumwolle. Pflegeleicht.

Größen	34/36	38/40	42/44	46
pink	805.152.9	806.111.9	808.212.9	809.892.9
azur	781.841.9	782.652.9	783.143.9	802.163.9
gelb	802.193.9	802.533.9	802.663.9	803.612.9
weiß	751.582.9	751.772.9	751.873.9	752.261.9
DM	**39.95**		**43.95**	

5 Modisch top: der enge, lange Jeansrock! Hier mit typischer Taschenverarbeitung und Gehschlitz, auch im Rücken. In Weiß: Crinkle aus reiner Baumwolle. Im Blau: Denim, reine Baumwolle, bleached, stückgewaschen.

Größen	34/36	38	40
jeansblau	808.952.9	814.853.9	815.882.9
weiß	818.893.9	824.822.9	846.654.9
DM		**59.90**	

Größen	42	44	46
jeansblau	816.714.9	817.342.9	818.383.9
weiß	846.823.9	847.983.9	848.271.9
DM		**65.90**	

Kapiert?

What do these people buy? Copy the grid and fill in the details in English.

	Article	Colour	Size	Price
1				
2				
3				
4				
5				

Und jetzt du!

A ist Tourist.

B ist auf der Straße, arbeitet dann in der Bank.

Auf der Straße

1 Ask for the nearest bank.
2 Say it is in Südstraße.
3 Ask how to get there.
4 Tell **A** to take the second on the left.
5 Say thank you.
6 Say not at all.

In der Bank

7 Greet the bank clerk.
8 Reply and ask if you can help.
9 Say you want to change £20.
10 Ask for **A**'s passport.
11 Hand it over.
12 Say thank you and tell **A** to collect the money from till number 3.
13 Thank the clerk and say goodbye.
14 Reply.

Kannst du mehr?

Get some magazines or catalogues and cut out pictures of outfits you like. Write a description of each in German, making it as detailed as you can. When you have finished, show your work to your teacher and classmates and ask people what they think of each outfit.

NOW YOU ARE READY FOR WAYSTAGE 8.

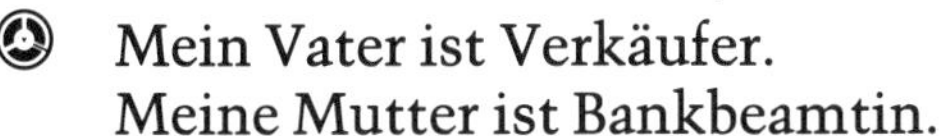

Mein Vater ist Verkäufer.
Meine Mutter ist Bankbeamtin.

Mein Vater ist Mechaniker.
Meine Mutter ist Hausfrau.

Mein Vater ist arbeitslos.
Meine Mutter ist Lehrerin.

Meine Mutter ist Manager im Kaufhof.
Mein Vater wohnt nicht bei uns.
Ich weiß nicht, was er macht.

Berufe	**Professions**
Arzt/Ärztin	doctor
Bauarbeiter/-in	builder
Bauer/Bäuerin	farmer
Beamter/Beamtin	clerk
Kellner/-in	waiter/waitress
Krankenpfleger	male nurse
Krankenschwester	nurse
Lehrer/-in	teacher
Mechaniker/-in	mechanic
Verkäufer/-in	sales assistant

Of course, there are many more professions – you don't need to learn the names of them all! Use a good dictionary to find the ones you want to talk about, and ask your teacher to check your findings.

Was?	Wie?
ask what someone's job is	Was ist Petra von Beruf? Was macht Petra?
say what someone's job is	Sie ist Krankenschwester.
ask what someone wants to be	Was willst du werden?
say what you want to be	Ich will Mechaniker werden.
say where someone works	Stefan arbeitet bei Opel. Anna arbeitet in einem Büro. Britta arbeitet in einer Fabrik.

ACHTUNG!

Use **bei** to mean 'at' with a named firm. (e.g. **bei Mercedes**)

Use **in** to mean 'in' or 'at' with a building. (e.g. **in einer Fabrik**, **in einem Büro**)

Kapiert?

Wer macht was?

List these people's jobs as you listen to the tape.

Thorstens Vater
Thorstens Mutter
Thorstens Bruder
Anjas Vater
Anjas Schwester
Jochens Mutter
Carmens Onkel
Carmens Tante

Kannst du das verstehen?

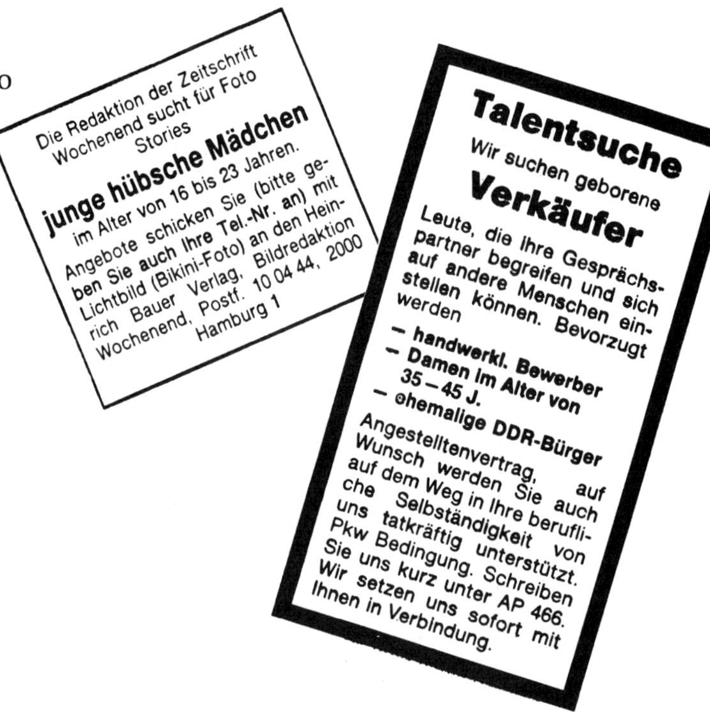

1 Which job is suitable for an 18-year-old girl?
2 What should she send with her application?
3 Why?
4 What other job is advertised here?

Meine Familie

Meine Eltern sind geschieden. Ich lebe mit meiner Mutter zusammen. Sie ist wieder verheiratet. Ihr Mann heißt Ulrich. Ulrich ist mein Stiefvater. Er hat zwei Kinder aus seiner ersten Ehe. Sie heißen Julia und Jon. Sie sind älter als ich. Jon ist ganz in Ordnung, aber Julia finde ich furchtbar. Gott-sei-Dank wohnen die beiden nicht bei uns. Mutti and Ulrich erwarten in zwei Monaten ein Baby. Ich hätte gern einen kleinen Bruder.

Meinen Vater sehe ich einmal in der Woche. Er wohnt etwa 15 km von hier. Jutta, meine große Schwester, wohnt bei ihm. Vati hat sich letzte Woche mit Karla verlobt. Die hat er im Büro kennengelernt. Sie ist ziemlich jung und sieht sehr gut aus. Sie kann ganz toll Tennis spielen. Zur Verlobung hatten wir eine riesige Party. Im nächsten Jahr wollen Vati und Karla heiraten. Dann habe ich auch noch eine Stiefmutter und vielleicht bekomme ich dann noch mehr Geschwister.

Katja Schätzler, 13 Jahre

Das ist neu

geschieden	divorced
zusammen leben	to live with
verheiratet	married
heiraten	to marry
der Stiefvater	stepfather
die Stiefmutter	stepmother
die Ehe	marriage
verlobt	engaged
die Verlobung	engagement

Read Katja's account of her family. Copy the family tree below in your exercise book and fill it in.

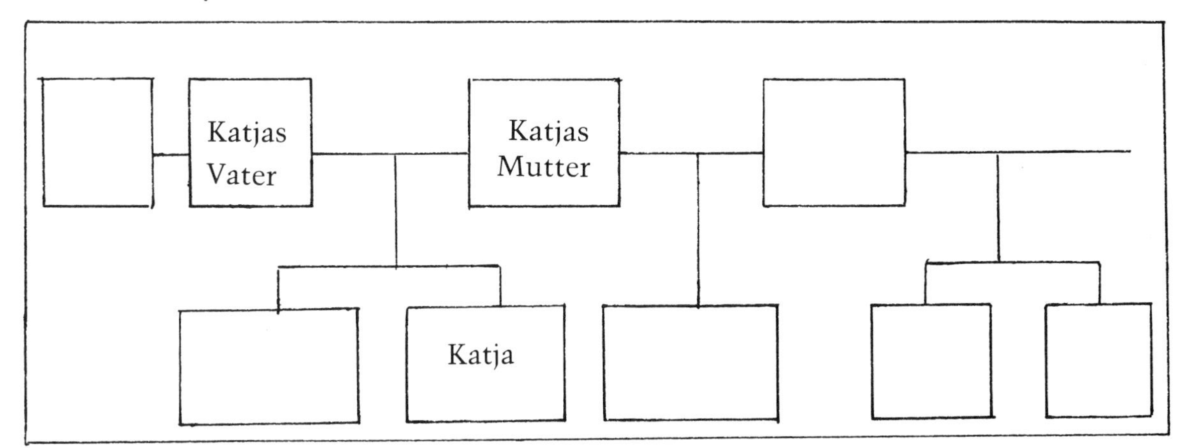

Then complete the following sentences with the correct German word.

1 Katjas Vater und Mutter sind ______.
2 Ulrich ist Katjas ______.
3 Julia und Jon sind ______ Kinder.
4 Jutta ist Katjas ______.
5 Katjas Vater ist mit ______ verlobt.
6 Wenn Katjas Vater und Karla heiraten, wird Karla Katjas ______.

Antworte auf deutsch.

1 Wie alt ist Frau Wörmann?
2 Wann hat sie Geburtstag?
3 Hat sie Kinder?
4 Warum gratuliert Andrew?
5 Wer gratuliert Opa?
6 Warum?
7 Was haben Stuckmanns zur Hochzeit bekommen?
8 Wie lange sind sie schon verheiratet?
9 Wo wohnen die Haubrocks?
10 Wie hieß Frau Haubrock mit Mädchennamen?
11 Was ist ihr Mann von Beruf?
12 Wo ist Frau Haubrock jetzt?
13 Warum?
14 Wann ist Thomas geboren?
15 Wie viele Geschwister hat er?

Unserer lieben Mutter,
Oma und Urgroßmutter
Änne Wörmann
zum 80. Geburtstag
(am Pfingstmontag)
herzliche Glückwünsche, Gesundheit und weiterhin alles Gute
von **Horst, Ingem, Angelika, Heiner und Patric**

Meine liebe Moni!
Herzlichen
Glückwunsch
zum
Geburtstag
Dein
Andrew!

Hurra,
Opa Brönninghausen
wird
70
Alles Gute
Deine Frau, Kinder
und Enkelkinder

Für die vielen lieben Glückwünsche, Geschenke und Blumen zu unserer Hochzeit bedanken wir uns recht herzlich.

Kerstin und Jörg Stuckmann

Nun segeln wir schon 29 Tage erfolgreich auf Ehekurs!

4800 Bielefeld 1

Jan-Wilhelm hat ein gesundes Brüderchen

Thomas 21. Mai

Wir freuen uns mit ihm

Andrea Haubrock geb. Clemens
Wilhelm Haubrock Rechtsanwalt

4800 Bielefeld 1, Schmiedestraße 7
z. Z. Klinik Dr. Kramer, Lipper Hellweg 10

Was?	**Wie?**
Have you got children?	Haben Sie Kinder?
Are you married?	Sind Sie verheiratet?
Are you engaged?	Sind Sie verlobt?
to congratulate	gratulieren
to be pleased	sich freuen
Happy Birthday!	Herzlichen Glückwunsch!

Kannst du mehr?

Write a message of congratulations to someone you know to put in a German newspaper.

Sich bewerben

One cheap way of spending time in a foreign country is by working while you are there. There is a certain amount of seasonal work available in hotels, restaurants, shops, on farms, and for au pairs. Look in your local and national papers for advertisements.

You need to be sixteen before you can apply for this type of work and, of course, you must be extremely careful not to be exploited. Always get an adult to check things out for you. If you are stranded abroad get in touch with the nearest British Consulate.

In order to apply for a job you need to write a letter of application (**Bewerbung**) and a curriculum vitae (**Lebenslauf**).

Sehr geehrte Frau Siegler,

ich habe Ihre Anzeige im Guardian gesehen. Ich möchte mich um die stelle als Verkäuferin in Ihrer Buchhandlung bewerben.

Ich bin 17 Jahre alt und kann gut Deutsch. Lesen ist mein Lieblingshobby. Meine Sommerferien beginnen am 15 Juli.

Mit freundlichem Gruß

Julie Hope

Anl. 1 Lebenslauf

Sehr geehrte Frau Schmidt!

Ich habe Ihre Anzeige in der Manchester Evening News gelesen. Ich möchte mich um die Stelle als au pair bei Ihnen bewerben.

Ich bin 16 Jahre alt, kann ziemlich gut Deutsch und mag Kinder sehr gern.

Mit freundlichem Gruß

Nicola Johnson

Anl.: Ein Lebenslauf

Sehr geehrte Damen und Herren!

Ich suche eine Stelle als Kellner für meine Sommerferien vom 21. Juli bis zum 10. September. Ich bin ein 17 jähriger Engländer und spreche ganz gut Deutsch. Ich arbeite jedes Wochenende im Restaurant meines Onkels.

Mit freundlichem Gruß

John Hunter

Anl: Ein Lebenslauf.

Read the letters of application carefully, then copy and complete the grid below.

name			
job applied for			
age			
qualifications			

Lebenslauf	
Name:	Nicola Emma Johnson
Geburtsdatum:	6. 6. 1970
Geburtsort:	Oldham
Adresse:	7 St John's Walk Harpurhey Manchester 10 Großbritannien
Eltern:	Susan Hunter - Näherin Trevor Johnson - Elektriker
Geschwister:	Jason Johnson - Schüler 13 Jahre alt
Schulen:	Burgess Becker Primary 1975 - 1981 Moston Brook High 1981 - 1986
Leistungsfächer:	Geografie, Deutsch, Musik Hauswirtschaft, Physik
Interessen:	Musik, Kochen, Kinder, Deutsch

Stellenanzeigen

Here are some advertisements for jobs.

GARMISCH Help wanted in small guest-house during summer season, waiting and barwork. Live in. Some German necessary.

FRANKFURT BRITISH BOOKSHOP needs assistant. Good with figures, knowledge of English literature and German language helpful.

Stuttgart MERCEDES BENZ. Labourers needed on assembly plant. No experience necessary. Accommodation provided.

PICK GRAPES AT the Moselle. 50DM per day. Accommodation and food provided.

SWITZERLAND. – Cheerful, experienced au pair. Must love children. Boy 16 months. – W. & M. Garroni, Tannenbachstr, 8942 Oberrieden, Switzerland.

GERMAN FAMILY living in Hamburg is looking for a 'Nana' to start on 1st January 1986, and who is willing to live in the house and take loving care of the first new-born baby for the next years. – Please send application and references together with up-to-date photo. We will then contact you to discuss all further details. Address: R. Henning, c/o AMS GmbH & Co., Erdkampsweg 4, 2000 Hamburg 63.

AU PAIR. – Educated young girl required for family with two children (aged 15 and 12 years) starting in Ulm. Home in best residential area. – Application with curriculum vitae and photograph to: Dr. Dr. G. Heinemann, Im Wiblinger Hart 86, 7900 Ulm, West Germany. Tel. 0731/41 823.

FOR GERMANY. – English-speaking German family with 14-months old boy is looking for a well-experienced, absolutely reliable and warm-hearted nanny who should be willing to accompany us while travelling between our homes in Munich and Switzerland. Separate apartment provided. Non-smoker and driver preferred. Please write with copy of references to: Box 8250

1 Write a letter of application for one of the jobs advertised, giving your name, age, the time when you are available, and any special qualifications you might have.

2 Prepare a **Lebenslauf** giving details of yourself, your family, your education, your interests and hobbies. Use the example above to help you.

Antworte auf englisch

1. Which job is suitable for a secretary who speaks a foreign language?
2. Is there a job for a nurse here?
3. When does the dental assistant's job start?
4. Is it suitable for a man or a woman?
5. What numbers could you ring for more information about the job at the Senne Steelworks?
6. In what street will the hairdresser be working?
7. Who should the hairdresser apply to?
8. What does the job with BMW involve?
9. Is it suitable for a man or a woman?
10. What do you think job 6 involves?
11. What languages must applicants for job 7 speak?
12. Should they be men or women?
13. Which department would they be working in?
14. What does the company deal with?

1

Für unseren modernen Frisiersalon im Hause Horten AG, Stresemannstraße 11, 4800 Bielefeld 1, suchen wir für sofort oder später eine

Friseurin

mit Berufserfahrung.

Bei uns herrscht ein gutes Betriebsklima, und unsere Leistungen entsprechen sicherlich auch Ihren Erwartungen.

Bitte vereinbaren Sie einen Vorstellungstermin mit Frau Siekmann unter ☎ (05 21) 17 86 99.

2

Wir suchen zum schnellstmöglichen Eintritt

Mitarbeiter

für unsere Härterei

Sennestahl GmbH
Stahlhärterei

Morsestr. 1, 4800 Bielefeld 11
Tel. (0 52 05) 7 51 46 20
oder 7 51 40 01

3

BMW-Vertragshändler im Raum Bielefeld

sucht zum baldmöglichen Eintritt

dynamischen Automobilverkäufer

der in der Lage ist, selbständig zu arbeiten.

Bewerbungen bitte unter AP 477

4

Ausbildungsstelle zum 5. 8. 1985

Zahnärztl. Praxis bietet vielseitige Förderung f. anspr. jg. Dame aus gutem Elternhaus. Gymnasialausb. od. qualif. Realschulabschl. Freundl., sichere Umgangsformen erforderl. Probepraktikum vorm 5. 7. mögl. Wohnnähe 48-14 erwünscht. Bildzuschr. erbeten unt. AP 478

5

Wir suchen

SEKRETÄRINNEN
(auch Fremdspr.)
STENOTYPISTINNEN
DATENTYPISTINNEN
SCHREIBKRÄFTE
TELEFONISTIN

econo MARK, Niedernstr. 16
4800 Bielefeld 1, Tel. 6 10 11, 6 10 12

6

Wir stellen noch eine

Fleischereifachverkäuferin

für unsere Fleischabteilung im Dixi-Kaufhaus, Hillegossen, ein. Sie sollten gute Fach- u. Verkaufskenntnisse haben. Die **Arbeitszeit:** 5 halbe Tage und ein **ganzer Tag.** Bewerben Sie sich bitte in der Fleischabteilung bei Frau Scheer. Tel. (05 21) 2 08 07 52.

7

Wir sind ein weltweit tätiges Unternehmen im Sportstättenbau. Für unsere Geschäftsleitung/Abt. **Marketing** suchen wir für sofort eine

Fremdsprachenkorrespondentin

Wir erwarten von Ihnen:
- sehr gute Kenntnisse der englischen **und** französischen Sprache in Wort und Schrift
- Auslandserfahrung
- Vertrautheit mit Büro- und Verwaltungsarbeiten

Sollten Sie an einer Mitarbeit in unserem Unternehmen interessiert sein, senden Sie bitte Ihre vollständigen Bewerbungsunterlagen an

Balsam Sportstättenbau GmbH u. Co. KG
Bisamweg 3, 4803 Steinhagen

Kapiert?

You are going to hear some questions commonly asked at interviews.
Listen to the tape. Choose a suitable response to each question from the list below.

a Am dritten März 1962.
b In Bielefeld, Schmiedestraße acht.
c Albert Bohrer.
d Ja, drei Mädchen.
e Ich bin Deutscher.
f Ich bin verheiratet.
g Ja.
h Ich bin Kellner.

Weißt du noch?

Why does the interviewer call Herr Bohrer **Sie** and not **du**?

Und du?

Kannst du die Fragen beantworten?
Antworte auf deutsch.

1 Wie heißt du?
2 Wie alt bist du?
3 Wann bist du geboren?
4 Wo bist du geboren?
5 Bist du Deutscher?
Bist du Deutsche?
6 Wieviele Geschwister hast du?
7 Sind Sie verheiratet?
8 Haben Sie Kinder?
9 Was sind Sie von Beruf?
10 Was willst du werden?

Und jetzt du!

Interview your partner in German using the questions above and any others you can think of. Don't ask the questions in order unless they would not otherwise make sense. Take turns to be interviewed.

Wiederholung Neun

While staying with your pen-friend, you have applied to join the local tennis club. Copy and complete the questionnaire below.

TENNISCLUB ROT WEIß EV. **6505 Nierstein** **Große Bleiche**
Vorsitzender Dr. G. Horst **Tel 06133 57842**

Name ....

Vorname ....

Alter ....

Geburtsort .... Geburtsdatum ....

Nationalität ....

Beruf ....

bei Minderjährigen: Beruf des Vaters ....

.... Beruf der Mutter ....

Datum .... Unterschrift ....

Kapiert?

Listen to the following six people giving you information about themselves. Copy and complete the grid.

	Age	Brothers and sisters	Parents' jobs	Hobbies
Katja				
Jörn				
Ulli				
Heike				
Günther				
Kai				

Thereses Lebenslauf

Read the application that Therese has made, then answer the questions below in English.

Sehr geehrte Damen und Herren,
ich möchte mich um die Stelle als Verkäuferin in Ihrem Kaufhaus bewerben. Ich lege meinen Lebenslauf bei.
Mit freundlichem Gruß
Therese Wissemann

Lebenslauf

Name: Therese Wissemann

Adresse: Paderweg 7
6505 Nierstein

Geboren am: 11-5-1971
in: Mainz

Eltern: Hans Wissemann - LKWfahrer
Jutta Wissemann - Verkäuferin bei Karstadt

Geschwister: 2 Brüder - 11 und 16 Jahre alt

Schule: Grundschule Nierstein 1977 - 1981
Realschule Nierstein 1981 - 1987

Leistungsfächer: Englisch
Maschineschreiben
Mathematik

Interessen: Computer
Mode
Sport (besonders Schwimmen und Tennis)

1. What job has Therese applied for?
2. When and where was she born?
3. What are her parents' jobs?
4. How many brothers and sisters has she?
5. Which schools did she attend?
6. In which subjects is she particularly interested?
7. What are her hobbies?

Kannst du mehr?

Can you write a similar curriculum vitae for yourself?
Use the same headings as Therese.

NOW YOU ARE READY FOR WAYSTAGE 9.

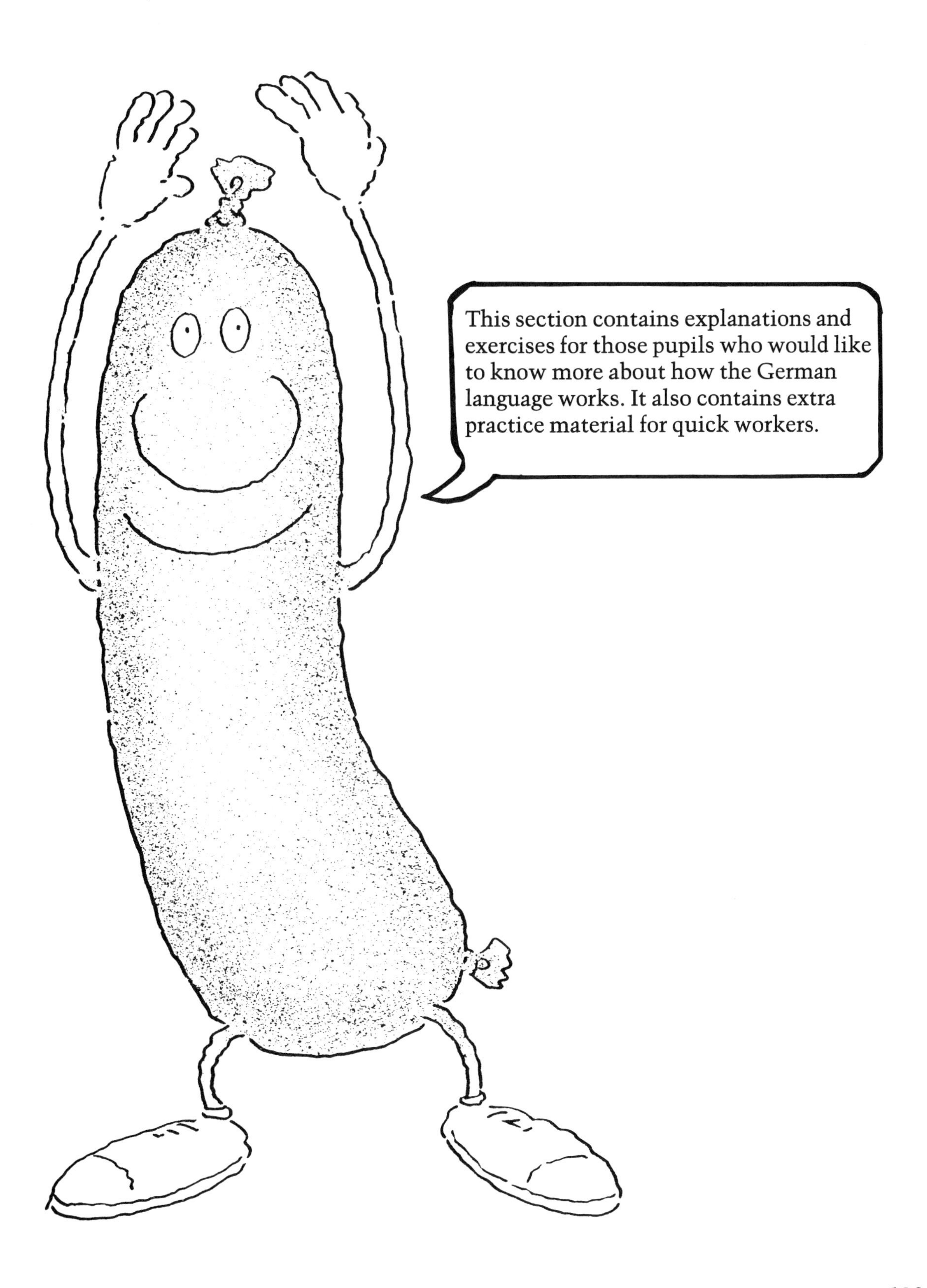
This section contains explanations and exercises for those pupils who would like to know more about how the German language works. It also contains extra practice material for quick workers.

Extension 1 (Unit 1)

Expressing likes and dislikes

In Book One you learnt how to say that you liked or disliked people, animals, food and drink, and activities. We used the verb **mögen** or the words **gern** and **lieber**.
After **mögen** the *accusative* case is used.

Beispiel:
Ich mag **den Englischlehrer** nicht.
Meine Mutter mag **dich** sehr gern.

Aufgabe Eins

Form your own sentences with the help of the box below.

<table>
<tr><td rowspan="4">ich
er
sie</td><td rowspan="4">mag</td><td>den Hund
deinen Freund</td><td rowspan="4">gar nicht
nicht
nicht gern
gern
sehr gern
unheimlich gern</td></tr>
<tr><td>die Katze
deine Schule</td></tr>
<tr><td>das Meerschweinchen
dein T-shirt</td></tr>
<tr><td>dich
ihn
sie
es</td></tr>
</table>

Aufgabe Zwei

Now try writing these sentences in German.

1 I like the dog very much.
2 He doesn't like the record at all.
3 She likes you.
4 I don't like him much.
5 She likes the book.
6 I like your T-shirt.
7 He doesn't like the teacher.
8 I really like the guinea-pig.

In Unit 1 we used the word **gefällt** and its plural form **gefallen** when saying we like something. This is an impersonal verb which means 'to please someone'.

Beispiel:
Das T-Shirt *gefällt* mir gut.
I like the T-shirt. (The T-shirt pleases me.)

Die Vorhänge **gefallen** mir prima.
I like the curtains very much. (The curtains please me very much.)

Dein Zimmer **gefällt** mir unheimlich gut.
I like your room an awful lot. (Your room pleases me an awful lot.)

Gefällt or **gefallen** are used if you like the look of something or someone.

<table>
<tr><td>der
die
das</td><td>gefällt</td><td rowspan="2">mir
ihm
ihr
uns
ihnen</td><td rowspan="2">gar nicht
nicht
nicht gut
gut
sehr gut
unheimlich gut
am besten</td></tr>
<tr><td>die (*pl*)</td><td>gefallen</td></tr>
</table>

Aufgabe Drei

Wie gefällt dir das?
Look at the pictures below and write down your honest opinion of what is shown in each one.

Aufgabe Vier

Now put the following sentences in German.

1 We like your car.
2 They don't like the house at all.
3 I like the shoes very much.
4 I like your coat.
5 He likes your sister best.
6 She really likes the dress.
7 She doesn't like the pullover.
8 I don't like his room.

Extension 2 (Units 2–5)

Asking for accommodation

Aufgabe Eins

Read these advertisements for hotels and accommodation in Northern Italy (where German is spoken), then answer the questions below in English.

APPARTEMENTS MAREIN
Fam. Noggler
1-39025 Tschirland/Naturns
Tel. 0039/473/87444
Appartements für 2/8 Personen. Neu erbautes Haus, sehr ruhig gelegen, fern vom Hauptstraßenverkehr – jeglicher Komfort – Hallenbad – Hot Whirl Pool – Solarium – Fitneß – Tischtennisraum – Tiefgaragen – Zimmer-Safe.
PREIS: 1 Woche F. W. – 2 Pers. ab DM 295,– vom 27. 4 – 27. 6. 81, ab DM 420.– Hochsaison

PENSION NIEDERMAYRHOF
Fam. Rechenmacher
1-39025 Naturns – Tschirland 6
Tel. 0039/473/87229
Bauernhof 30 Betten, Zi. teilw. D/WC, sehr ruhige Lage, beheiztes Schwimmbad. HP 31,– bis 36,– DM.

HOTEL SONNENHOF,
das Komforthotel im Ort, mit Frühstücksbuffet, Menüwahl, Hallenbad, Freibad, Sauna, Solarium, Lift. Kinderspielplatz und Bocciabahn.
Frühjahrswochen vom 1. 3. ab DM 44,– mit HP, 2× Sauna + Solarium, 1 Massage. Vom 22. 3. bis 11. 4. und 25. 4. bis 4. 7. ab DM 54,– HP (incl. gemütliche Terrassenabende mit Grill oder Bowle).

Hotel Pension
QUELLENHOF
Fam. Trenkwalder
1-39020 Staben 65
Tel. 0039/473/87339
Zi. m. Balk., Bad o. D/WC, Telefon, Aufenthaltsraum, Quellenkeller, geh. Freibad, Parkplatz, Liegew., Sauna, Solarium, Fitneßraum.

HOTEL LINDENHOF
1-39025 Naturns – Kirchweg 2
Ruhige Lage – alle Zi. Bad/DU/WC, Balkon, Tel., Farb-TV, Radio, Hallenbad, Liegewiese, schöne Sonnenterrasse, Leseraum, Hausbar, Lift. Solarium, Sauna, Fitneß-Geräte, auf Wunsch Massagen.
HP von DM 55,– bis DM 67,– (VP plus 9 DM)
(ÜF von DM 45,– bis DM 50,–)

HOTEL NOCTURNES
1-39025 Naturns bei Meran, Südtirol-Italien
Tel. 0039/473/87055
In ruhiger Lage am Sonnenhang von Naturns finden Sie unser Hotel, ausgestattet mit allem Komfort, Hallenbad, Sauna, Solarium, Liegew., Fitneßcenter, Aufenthaltsraum, Kellerbar, Lift u. Parkgarage. Alle Zimmer mit Südbalkon, Bad/Dusche, WC, Telefon, Zimmer-Safe, Radio u. Fernsehanschluß. HP ab DM 57.– (Frühstücksbuffet und Menüwahl). Ganzjährig geöffnet.
Auf Ihren Besuch freut sich Fam. Kröll.

Abkürzungen (abbreviations)

Balk. = Balkon
D/Du. = Dusche
DW = Direktwahl (*direct dialling*)
FW = Frühjahrswochen (*weeks in the spring*)
Fam. = Familie
HP = Halbpension (*half board*)
kl. = klein
m. = mit
o. = oder (*or*)
teilw. = teilweise (*partly*)
T.V. = Fernseher
u. = und
ÜF = Übernachtung mit Frühstück (*bed and breakfast*)
VP = Vollpension (*full board*)
Zi. = Zimmer

1 How much does a week in high season cost at Appartements Marein?
2 Does the price at the Niedermayrhof include full or half board?
3 If you stayed at the Sonnenhof in May how much would you have to pay for half board?
4 How are the rooms equipped at the Quellenhof?
5 How much is full board at the Lindenhof?
6 Who owns the Hotel Nocturnes?
7 Which of these hotels would you choose for a holiday? Why?

Aufgabe Zwei

Write a letter to the owner of one of the hotels or holiday flats booking a holiday for your family or friends and yourself.

Begin your letter: **Sehr geehrte Familie!**
End it with: **Mit freundlichem Gruß** + your name.

Don't forget the date, your address, the number of people, how long you are likely to stay, what kind of rooms you want.

Aufgabe Drei

Complete the speech bubbles in each picture and write a caption to each one.

Extension 3 (Unit 7)

Word order with modals

Können is one of the modal verbs you met in Book One. Do you remember its forms? They were different from those of other verbs.

Aufgabe Eins

Write down the different forms of **können**.

ich _____	wir _____
du _____	ihr _____
	Sie _____
er _____	sie _____
sie _____	
es _____	

Let your teacher check them.
Alles richtig? Einfach Klasse!

Apart from **können** (to be able to) you have met two other modal verbs. These are **mögen** (to like) and **wollen** (to want). Write their forms down. If you don't remember them look them up in Book One.

Aufgabe Zwei

Now complete the text below using whichever form of **können**, **mögen**, or **wollen** is most suitable.

Es ist Sonntag morgen und schön warm. Ingo _____ lange schlafen, aber er _____ lieber schwimmen gehen. Er ruft seine Freundin Angela an und fragt: „Du, _____ du mit ins Schwimmbad kommen?" „Leider nein," sagt Angela. „Wir _____ heute mit meiner Oma in den Park gehen. Sie _____ Blumen so gern." Ingo fragt: „_____ ich mitkommen? Alleine _____ ich nicht schwimmen gehen. Vielleicht _____ wir heute abend dann ins Kino oder in die Disco gehen?"

Altogether there are six modal verbs in German. The other three are:
müssen – to have to
dürfen – to be allowed to
sollen – ought to

Their forms are also irregular:

ich muß	wir müssen
du mußt	ihr müßt
	Sie müssen
er / sie / es muß	sie müssen

ich darf	wir dürfen
du darfst	ihr dürft
	Sie dürfen
er / sie / es darf	sie dürfen

ich soll	wir sollen
du sollst	ihr sollt
	Sie sollen
er / sie / es soll	sie sollen

If there is a modal verb in a sentence the second verb is sent to the end in its infinitive form.

Beispiel: Du **mußt** zu Hause **bleiben**.

Aufgabe Drei

Here is a list of rules for a British Youth Hostel. Your German friend does not understand them. Put them into correct German.

1 You must arrive by 6 o'clock.
2 Guests must have a sleeping bag.
3 You can hire bedding from the reception.
4 You ought to leave your room by 9 a.m.
5 Guests may cook meals in the kitchen.
6 You may not smoke in the youth hostel.
7 Guests must make their own beds.

Das ist wichtig	
die Gäste	guests
rauchen	to smoke
die Anmeldung	reception
die Bettwäsche	bedding

Extension 4 (Unit 8)

More likes

Gern, **lieber**, and **am liebsten** can stand after a verb, as in the following examples:

Ich schwimme **gern**. *I like swimming.*
Ich tanze **lieber**. *I prefer dancing.*
Ich schlafe **am liebsten**. *I like sleeping best*

They can also stand between **mögen** and an activity.

Beispiel:

Ich mag **gern** schwimmen.
I like swimming.
Ich mag **lieber** tanzen *I prefer dancing.*
Ich mag **am liebsten** schlafen.
I like sleeping best.

Aufgabe Eins

Here is a grid with nine activities. For each row write three sentences saying which one you like, which one you prefer, which one you like best.

Aufgabe Zwei

Ask your neighbour and some friends or your teacher: **'Was magst du gern? Was magst du lieber? Was magst du am liebsten?'** (Remember to use **Sie** if you are talking to your teacher.) Make a list of people's favourite activities and then write up your findings in German.

Beispiel:
Jason spielt gern Fußball, er spielt aber lieber Rugby, und er schläft am liebsten.

Extension 5 (Unit 9)

Prepositions followed by the accusative

In is followed by the accusative if it means 'into.'

in	den einen	(*m*)
	die eine	(*f*)
	das ein	(*n*)
	die	(*pl*

ϟ **ACHTUNG!**
Instead of '**in das**' Germans often say or write '**ins**'.

Beispiel:

Er geht **in den** Garten. (*m*)
Sie fährt **in die** Garage. (*f*)
Ich laufe **ins** Haus. (*n*)
Sie gehen **in die** Geschäfte. (*pl*)

Each time you can ask the question:
Wohin ...... ? (Where ...... to?)

Aufgabe Eins

Wurstel is on a sightseeing tour of Senfhausen. Write a caption to each of the pictures below, making sure you use the correct article after '**in**'.

The following prepositions follow the same rule if you use them to answer the question: **'Wohin?'**

an	at	**hinter**	behind
auf	on/at	**vor**	in front of
neben	next to	**zwischen**	in between

Aufgabe Zwei

Complete the following sentences with the correct accusative articles.

1 Kannst du bitte an ____ Telefon kommen?
2 Bitte setzen Sie sich doch hier auf ____ Stuhl.
3 Fahren Sie Ihr Auto bitte dort neben ____ Kino.
4 Bitte stelle den Tisch vor ____ Schrank hier.
5 Hans, stell dich bitte zwischen mein__ Vater und mein__ Mutter.
6 Komm, wir laufen schnell hinter ____ Haus.

Word order – time and place

Look at these two sentences:

I'll meet you | at the corner | | at 8 o'clock |.

Ich treffe dich | um 8 Uhr | | an der Ecke |.

ACHTUNG!
Ich treffe **dich** . . .
Treffen wir **uns** . . . ?

As you can see, in German word order, time comes before place. This is the opposite of what you are used to in English.

Aufgabe Drei

Arrange meetings using the symbols below. Write out your sentences or questions.

Beispiel:
Ich treffe dich um acht Uhr am Museum.

Ich		
Wir		
Ich		
Wir		
Ich		
Wir	Sonntag	
Ich		
Wir	Freitag	

Extension 6 (Unit 11)

'Wenn' clauses

After '**wenn**', the verb goes to the end of its sentence.

Beispiel:
Es **ist** kalt.
Ich gehe ins Kino, **wenn** es kalt **ist**.

Ich **arbeite** in der Schule.
Ich darf ins Kino gehen, **wenn** ich in der Schule **arbeite**.

Aufgabe Eins

Using the weather symbols on the right, complete each sentence with a suitable **wenn** clause. How many different sentences can you make?

Wir treffen uns	am Sportplatz,	wenn
	im Jugendklub,	
	vor dem Kino,	
	im Cafe,	
	zu Hause bei mir,	
	im Schwimmbad,	
	am Park,	
	auf dem Marktplatz,	

Aufgabe Zwei

Answer the following questions in German, using a **wenn** clause.

1 Was machst du, wenn es kalt ist?
2 Wie kommst du zur Schule, wenn es regnet?
3 Wohin gehst du, wenn du viel Geld hast?
4 Was machst du, wenn du keine Hausaufgaben hast?
5 Wann gehst du zu Bett, wenn du Ferien hast?

Extension 7 (Unit 15)

Prepositions taking the dative

From Book One and Extension Five in this book you know that many prepositions tell you where something or someone is or is going to. You know several prepositions already.

***an**	at	(**am = an dem**)
***auf**	on/at	
bei	at/with	(**beim = bei dem**)
***in**	in/into	(**im = in dem**)
***neben**	next to	
***hinter**	behind	
***vor**	in front of	
gegenüber	opposite	
***zwischen**	in between	
zu	to	(**zum = zu dem**) (**zur = zu der**)

dem einem	(*m*)
der einer	(*f*)
dem einem	(*n*)
den	(*pl*)

Beispiel:

Das Auto steht **an der** Ecke.
Ich bin **im** Kino.
Ich treffe dich **hinter der** Kirche.

When the prepositions marked with a star tell us *where* something *is*, then we use the dative case after them. After **bei**, **gegenüber**, and **zu** always use the dative.

Aufgabe Eins

Write a sentence for each of the nine pictures, saying where things or people are. Make sure you use the correct article.

Extension 8 (Units 15–17)

Imperfect tense of 'sein' and 'haben'

When talking about where and when something was and what someone had, Germans use the imperfect tense of the verbs **sein** and **haben**.

In Book One we learned all about the present tense of these verbs. If you can't remember doing this, look it up because it will come in very useful.

The imperfect tense of **sein** and **haben** looks like this:

sein		**haben**	
ich war	wir waren	ich hatte	wir hatten
du warst	ihr wart	du hattest	ihr hattet
	Sie waren		Sie hatten
er / sie / es war	sie waren	er / sie / es hatte	sie hatten

Aufgabe Eins

Complete the following sentences using the imperfect tense of **sein** or **haben**.

1 Ich ______ im Sommer in Spanien.
2 Wo ______ du in den Ferien?
3 Wir ______ keine Suppe!
4 ______ Sie schon einmal in Schottland?
5 Was für Wetter ______ ihr?
6 Er ______ gestern abend in der Disco.
7 ______ du schönes Wetter?
8 Meine Eltern ______ zu Hause.

Aufgabe Zwei

Look at this page of Sonja's diary.

Montag, 3. März	15.30 Handballkurs in der Schule
Dienstag, 4. März	nachmittags in der Stadt einkaufen mit Mutti 19.00 Kino mit Joachim
Mittwoch, 5. März	Hausaufgaben: Englisch, Mathe, Deutsch abends fernsehen
Donnerstag, 6. März	Hausaufgaben: Physik, Chemie, Sozialkunde 19.00 Disco im Jugendklub
Freitag, 7. März	15.00 Schwimmen mit Monika abends bei Joachim
Samstag, 8. März	morgens Schule, 12.00 Eis essen mit Monika und Anke, 20.00 Party bei Karsten
Sonntag, 9. März	lange schlafen 15.00 Kaffee und Kuchen bei Oma

Wo war Sonja letzte Woche?

Beispiel:

Sonja war am Montag in der Schule beim Handballkurs.

Sie war am Dienstag nachmittag ...... und abends ....

ACHTUNG!

If you begin your sentences with the day of the week, the word order changes.

Beispiel:

Am Montag	war	Sonja	in der Schule beim Handballkurs.
1	2	3	

The verb stays in the second position, and the adverb of time and the subject change places.

Vary the word order in your sentences about Sonja. This will make them more interesting. Try to begin them alternately with the subject (**Sonja** or **sie**) or with an adverb of time (**am Sonntag**, **am Samstag abend**, etc.).

The perfect tense of weak verbs

When talking about an event which happened in the past, Germans usually use the perfect tense.

Beispiel:

Ich habe in der Disco getanzt.
Wir haben in einem Hotel gewohnt.
Er hat einen neuen Porsche gekauft.

Look at these sentences carefully. Can you see the pattern?

1 The *second word* is a form of **haben**.
2 The *last word* in each sentence is the perfect tense form of the verb (*past participle*).

This word order always stays the same.

Aufgabe Drei

Make as many meaningful German sentences as you can, working from the centre box outwards.

Beispiel:
Du hast Fußball gespielt.

Be careful! Write sentences that make sense.

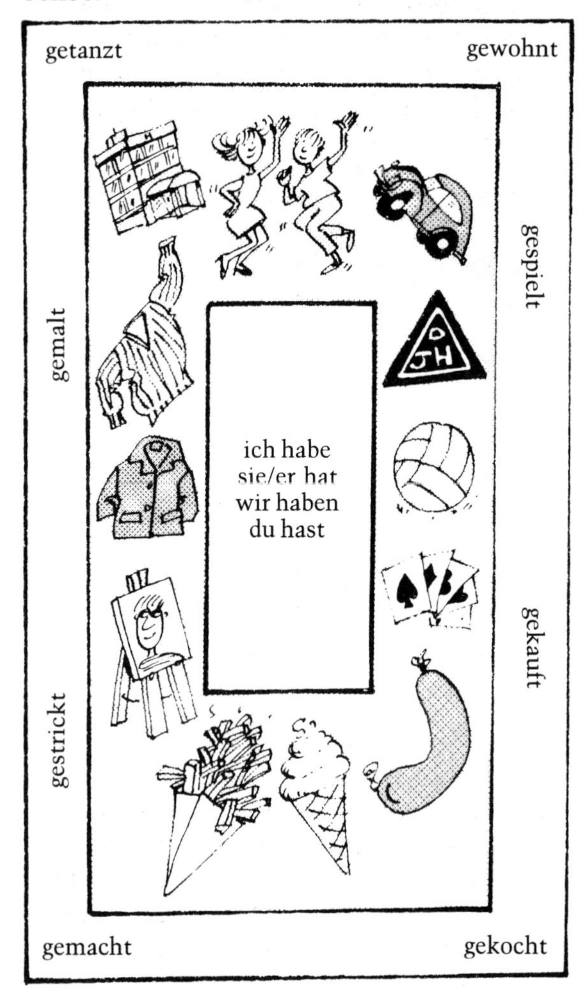

Aufgabe Vier

Write out all the present tense forms of **haben** into your exercise book without looking them up beforehand.

ich ____ wir ____
du ____ ihr ____
Sie ____
er | sie ____
sie | ____
es |

Aufgabe Fünf

Can you complete the text below with the correct form of **haben**?

Ich ______ schon immer in Frankfurt gewohnt. Aber jetzt ____ mein Vater ein neues Haus in München gekauft. Wir ____ zum Abschied eine große Fete gefeiert. Viel Gäste sind gekommen. Sie ____ viel getrunken und getanzt. Wann ____ du zuletzt eine Party gehabt? Was ____ ihr da gemacht?

Now let's look at the past participle (perfect tense form) of the verb.

getanzt (tanzen)
gewohnt (wohnen)
gekauft (kaufen)

That's easy, isn't it?
Just add the prefix **ge** to the stem of the verb plus **t**.

Beispiel:
tanz**en** → tanz → **ge**tanz**t**

Aufgabe Sechs

Write down the perfect tense forms of the following verbs.

1 hören	**5** bauen	**9** kochen
2 schneien	**6** machen	**10** spielen
3 malen	**7** stricken	**11** lernen
4 sammeln	**8** schmecken	**12** lachen (*to laugh*)

Alles richtig? Einfach Klasse!

Nicht vergessen!
The stem is the verb without any ending or prefix. So the stem of **tanzen** is 'tanz'.

Aufgabe Sieben

Complete the following sentences in German using the past participles of the verbs in **Aufgabe Sechs**.

1 Wir haben Johns neue Platten ____.
2 Es hat im März viel ______.
3 Was hast du denn am Montag ____.
4 Gestern abend habe ich mit Freunden Squash ______.
5 Dieses Bild hat mein Bruder ____.
6 Hast du den Pullover selbst ______?
7 Über Computer habe ich in der Schule ______.
8 Mein Großvater hat Zigarettenbilder ______.
9 Ich habe sehr über das Fernsehprogramm ____.

Aufgabe Acht

You are being interviewed at your school by a German pupil for his school magazine. Tell him that:

1 you listened to the radio.
2 it did not snow in your town/village.
3 you played table tennis.
4 your uncle cooked the dinner.
5 you knitted the pullover yourself.
6 your brother learned Spanish at school.
7 you used to collect stamps.
8 your friends used to laugh about you.
9 the soup tasted awful.

Here are the questions you were asked. Can you find the right one to go with each of your German answers?

1 Hat dein Bruder auch Deutsch in der Schule gelernt?
2 Wie war das Wetter bei euch zu Hause?
3 Wer hat das Abendessen gekocht?
4 Wie hat es geschmeckt?
5 Was hast du gestern abend gemacht?
6 Was hast du heute vormittag gespielt?
7 Welches Hobby hattest du früher?
8 Und deine Freunde, was haben sie dazu gesagt?
9 Dein Pullover gefällt mir prima. Wer hat den gestrickt?

Extension 9 (Units 16–18)

Perfect tense of strong verbs

Some German verbs are called strong verbs. Their past participle ends in **-en** instead of **-t**. Some of them also have a vowel change. Here are some of the most useful ones:

essen → gegessen
fahren* → gefahren
fliegen* → geflogen
gehen* → gegangen
kommen* → gekommen
laufen* → gelaufen
lesen → gelesen
liegen → gelegen
reiten → geritten
schlafen → geschlafen
schreiben → geschrieben
schwimmen → geschwommen
sehen → gesehen
steigen* → gestiegen
trinken → getrunken

These verb forms need to be learned, just as you had to learn English past participles. Ask your parents if you ever said 'goed' when you were little. Most people did! How were you to know that the right word is 'gone'? German children have similar problems with their own language when they are small.

Aufgabe Eins

Learn the past participles of the above verbs for tomorrow. Ask a friend, someone in your family , or your teacher to test you.

In the perfect tense of some verbs a form of **sein** instead of **haben** is used.

Beispiel:
Ich bin in die Schule gegangen. *I went to school.*
Er ist nach Irland geflogen. *He flew to Ireland.*
Sie ist nach Hause gelaufen. *She ran home.*

Do you notice the connection?
They are all verbs that show that someone or something is *moving* from **A** to **B**. The verbs marked with a star in the list on p.135 also take a form of **sein**. They are all verbs involving movement.
However, as with every rule there are quite a few exceptions.
The most notable one is **bleiben** (to stay). Certainly no movement there! And here are a few more:

sterben (to die)
werden (to become)
sein (to be)

Aufgabe Zwei

Write out the different forms of **sein** (in the present tense) without referring to any other book.

Aufgabe Drei

Sein oder haben, das ist hier die Frage!
Complete the letter below with the correct forms of **sein** or **haben**.

Liebe Ingrid,

wir ______ vor zwei Tagen aus unseren Ferien zurückgekommen. Wie Du weißt, waren wir in Wales. ______ Du meine Postkarte bekommen? Das Wetter war wirklich wunderbar. Es war warm und sonnig, und es ______ nur einmal geregnet. Ich ______ oft mit dem Boot gefahren und meine Eltern ______ viel geangelt. John ______ ein paar Mal auf die Berge hier geklettert.

Wir ______ in einem schönen Wohnwagen auf dem Campingplatz gewohnt. Da gab es alles: ein Schwimmbad, ein Restaurant, eine Disco, sogar eine Bowlingbahn. Ich ______ einen netten Jungen, Darren, aus London kennengelernt. Wir ______ oft zusammen in die Disco gegangen. Er ______ mir schon einen Brief geschrieben. Vielleicht kommt er mich einmal besuchen, oder ich fahre nach London zu ihm.

Bitte schreibe bald. Wie waren Deine Ferien? Was ______ Du gemacht?

Deine
Jo-Ann

Aufgabe Vier

Imagine you are Ingrid (or Ingo if you're a boy). You spent two weeks with your family at the seaside in North Germany. You stayed in a holiday flat. The weather was fairly cold. It rained quite a lot. You met a nice boy/girl from Munich. Write about the things you did and saw while you were on holiday.

Aufgabe Fünf

1 Imagine you are one of the characters in the above cartoon. Tell the story of your holiday.

2 **Gruppenarbeit** Imagine you and your friends are the people in the pictures. What do you say to each other in each situation? Act out one or more of the scenes in German. Your teacher might let you tape your play or show it to the class.

3 Tell the story of a real holiday of your own. You may, of course, exaggerate to make it more interesting!

Extension 10 (Units 18 and 25)

Personal pronouns (nominative)

Pronouns are words like *he, she,* and *it* which are used instead of nouns. In English their use is easy.

We use *he* for male persons and animals,
she for female persons and animals,
and *it* for things.

In German the three corresponding pronouns are:

er	sie	es

We use *er* for male persons and animals and *all* masculine nouns (**der** words)
sie for female persons and animals and *all* feminine nouns (**die** words)
es for *all* neuter nouns (**das** words).

Der Junge heißt Karl.
Er ist 12 Jahre alt.

Die Katze ist schwarz, grau und weiß.
Sie ist sehr schön.

Das Auto steht in der Garage.
Es ist kaputt.

Der Bleistift gehört mir.
Er ist aus meiner Tasche gefallen.

Die Tasche gefällt mir prima.
Sie ist aber ziemlich teuer.

Aufgabe Eins

You are being shown around Austria's capital **Wien** (Vienna) by a friend. Express your approval or disapproval of what you see.

Beispiel:

Dein Freund: Hier ist der Prater.
Du: Er ist ganz schön.

1 die spanische Reitschule
2 das Café Sacher
3 das Riesenrad
4 das Schloß Schönbrunn
5 der Donauturm

Do this as a spoken exercise with a partner. Then write your conversation down.

Aufgabe Zwei

Rätsel

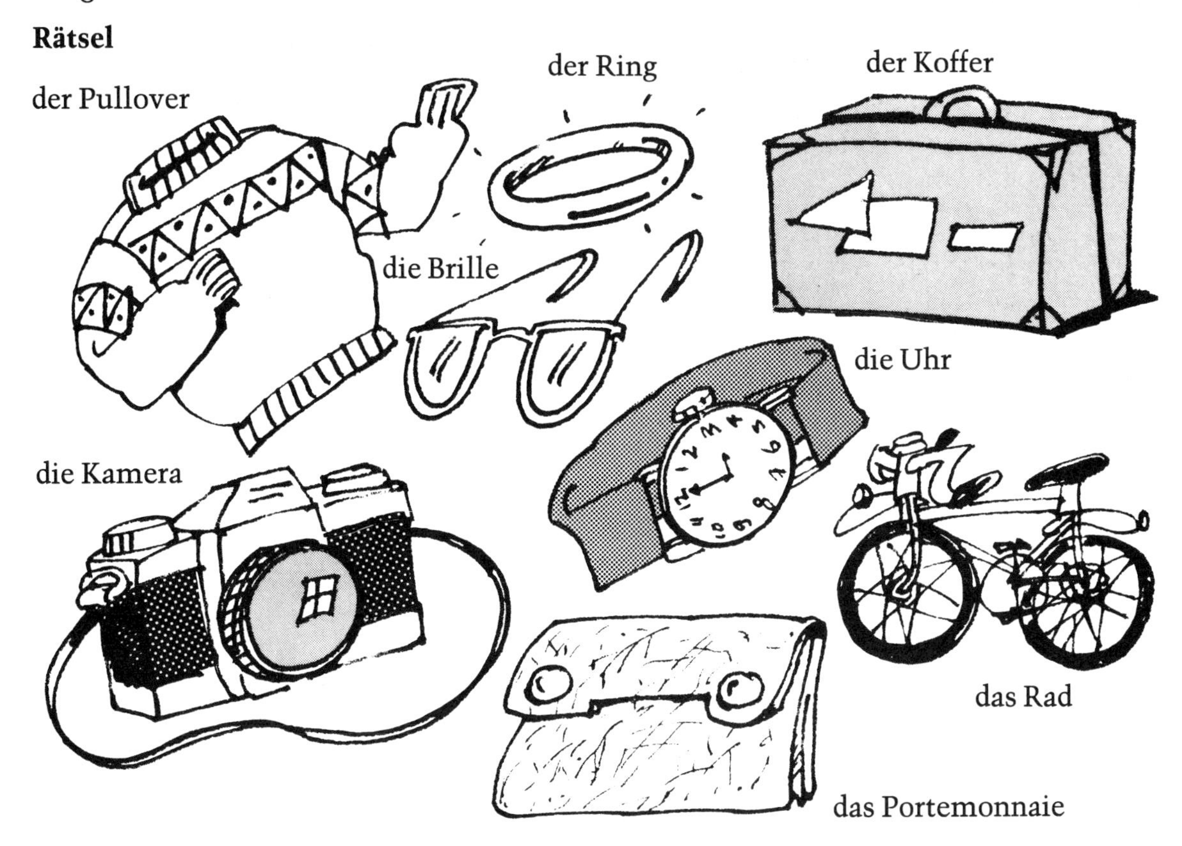

Describe one of the above items in as much detail as possible using pronouns only. Let your partner or teacher guess what you have described. When he or she has guessed, change over. You can extend this game to any item for which you both know the German noun and its gender.

Aufgabe Drei

Play 20 questions about any living or historical figure known to you and the people you are playing with. One of you thinks of a person. The others ask questions trying to establish the identity of the person. You can only answer '**Ja**' or '**Nein**'. Here are some useful questions:

Ist er ein Mann?
Ist sie eine Frau?
Ist er/sie älter als ich?
Ist er/sie tot?
Arbeitet er/sie an dieser Schule?
Ist er/sie ein Sportler/eine Sportlerin?
Hat er/sie blondes Haar?
Sind ihre/seine Augen blau?

The accusative case

suchen verlieren vergessen finden sehen	are all verbs which are followed by the accusative case.

m	*f*	*n*	*pl*
den einen meinen	die eine meine	das ein mein	die – meine

Beispiel:

Ich suche *meinen Vater.*
Ich habe *meine Tasche* verloren.
Ich habe *mein Buch* vergessen.
Hast du *meine Schuhe* gesehen?
Haben Sie *meinen Kuli* gefunden?

Aufgabe Vier

Write out statements/questions using the following items:

On p. 138 you learned about nominative personal pronouns. You might have guessed that they are different in the accusative. This is also true for English.

He is my friend. Have you seen *him*?
She is here. Have you found *her*?

In German the pronouns are: *ihn* (*m*) him/it
sie (*f*) her/it
es (*n*) it
sie (*pl*) them

They are used to replace nouns in the accusative.

Beispiel:

— Hast du **deinen Mantel?**
— Ja, ich habe **ihn** an.

— Ich habe **meinen Kuli** verloren.
— Oh, ist er blau? Dann habe ich **ihn** gefunden.

Aufgabe Fünf

Write a letter to the **Fundbüro** in Koblenz.

The address is: Rathaus,
5400 Koblenz.

Explain that you have lost/forgotten one of the items from **Aufgabe Eins**. Give a good description of it, saying where and when you lost it, asking if it has been found, and giving your address in Britain to return it to.

Nicht vergessen!

Begin your letter with:
Sehr geehrte Damen und Herren!
End it:
Mit freundlichem Gruß . . .

As you don't know the people employed there, use '**Sie**' when you address them.

Extension 11 (Units 24–27)

Adjective endings

Adjectives are 'describing' words.

Example:
My sister is very *intelligent*.
I am wearing a *blue* jacket.
This is a *fast* car.

'Intelligent', 'blue', and 'fast' are adjectives. They describe nouns (sister, jacket, car). Sometimes they stand after the verb 'to be' (as in the first sentence), sometimes before a noun as in the other two.

Now look at the same sentences in German:

Meine Schwester ist sehr **intelligent**.
Ich habe eine **blaue** Jacke an.
Das ist ein **schnelles** Auto.

The adjectives are easy to spot.
But did you notice what happened to **blau** and **schnell**?
They acquired *endings* because they stand *before a noun*.

Look again: ein**e** blau**e** Jacke (*f*)
ein schnell**es** Auto (*n*)

Hallo Jason,
Vielen Dank für Deinen langen Brief vom Montag. Der war ja ganz interessant und Dein Wochenende auch.
Der Lake District muß wirklich schön sein. Ich glaube, Du bist schon ein ganz guter Bergsteiger. Vielleicht können wir im nächsten Jahr mal hinfahren, wenn ich nach England komme.
Übrigens habe ich eine neue Freundin. Sie heißt Sabine und ist 14 Jahre alt. Sie hat langes blondes Haar und blaue Augen. Sie ist sehr schlank und sieht einfach Klasse aus.
Bis bald,
Andreas

Aufgabe Eins

Read this letter and make a list of the adjectives in it.

Did you find all ten?
Einfach Klasse!

How many different endings did you spot?

There are four:
-e | -en | -er | -es

-e and -en are the most frequent. -er and -es are used much less often. As you will see, it is important to know the gender of nouns!

-er is used before masculine nouns (**der** words), if the article is **ein**, **mein**, **kein**, etc.

Beispiel:

Er ist **mein** alt**er** Freund.
Mein Vater war **ein** gut**er** Bergsteiger.
Ist das **dein** neu**er** Hund?

-es is used before neuter nouns (**das** words), if the article is **ein**, **mein**, **kein**, etc.

Beispiel:

Sie hat lang**es** blond**es** Haar.
Er hat sich **ein** groß**es** Auto gekauft.
Du hast **mein** schön**es** Buch verloren.

-e is used before feminine nouns (**die** words) when the article is **die**, **eine**, **meine**, etc.
It also stands after **der** for masculine nouns)
and **das** (for neuter nouns)
and before plural nouns.

Beispiel:

Ich möchte **die** rot**e** Jacke bitte. (*f*)
Meine Schwester hat **eine** blau**e** Hose an. (*f*)
Der alt**e** Plattenspieler ist endlich kaputt. (*m*)
Ich kann **das** braun**e** Portemonnaie nicht finden. (*n*)
Ich mag groß**e** Hunde gar nicht. (*pl*)

-en is used after **den, einen,** etc. (before masculine nouns)
after **dem, einem,** etc. (before masculine and neuter nouns)
after **der, einer,** etc. (before feminine nouns)
and after **die** (before plural nouns)

Beispiel:

Ich wohne in **dem** groß**en** Haus. (*n*)
Wir treffen uns hinter **der** alt**en** Kirche. (*f*)
Ich suche **einen** weiß**en** Pullover. (*m*)
Die braun**en** Schuhe gefallen mir gut. (*pl*)
Wir spielen auf **dem** neu**en** Sportplatz. (*m*)

This is getting quite complicated, isn't it? Don't worry! Millions of Germans have managed to learn this. So can you. The important thing is to practise. Once you have cracked this it will make your conversation much more interesting. Let's have a go!

Aufgabe Zwei

Angelika and Ruth have arrived together at a summer camp and are unpacking. Can you complete the sentences correctly? (Look up the genders if you must, but it is better to learn them.)

— Dein Hemd gefällt mir.
— Mein Hemd? Welches?
— Dein blau__ Hemd.

— Dein Rock ist schön.
— Oh, danke. Welcher?
— Dein gelb__ Rock.

— Das ist aber ein toll__ Pullover. Gehört der Dir?
— Ja, das ist meiner.

— Oh, das Kleid finde ich einfach Klasse.
— Das hier?
— Nein, das grün__ Kleid dort im Schrank.

Aufgabe Drei

Go shopping for the following items in German. Use '**Ich möchte**' + accusative when you want to buy something. In each case you can choose between two items. Your partner plays the part of the shop assistant.

Aufgabe Vier

Describe your best friend or a member of your family.

Beispiel:

Mein bester Freund heißt Steve.
Er hat blondes Haar und blaue Augen.

Meine beste Freundin heißt Liz.
Sie hat rotes Haar und grüne Augen.

Grammar Summary

Cases

The **nominative** case is used:

a for the subject of a sentence:
Der Radiergummi gehört mir.

b for the complement of the subject of a sentence (after **sein**, **werden**, and **heißen**):
Das Mädchen ist **meine Schwester**.

The **accusative** case is used:

a for the direct object of a sentence:
Ich möchte **einen Pullover**.

b after prepositions which take only the accusative:
Ich möchte ein Eis **für ihn** bitte.

c after prepositions which take the accusative in certain circumstances (but dative in others):
Er geht **in den** Tagesraum.

The **dative** case is used:

a for the indirect object in a sentence:
Ich kaufe **meiner Mutter** ein Bild.

b after prepositions which take only the dative:
Ich fahre **mit dem** Rad.

c after prepositions which take the dative in certain circumstances (but accusative in others):
Er sitzt **in dem** Tagesraum.

d after certain verbs:
Das Buch **gefällt mir**.

Articles

Definite article (der, die das)

	singular			plural
	m	*f*	*n*	*all genders*
nom	der	die	das	die
acc	den	die	das	die
dat	dem	der	dem	den

Indefinite article (ein, eine, ein)

	singular		
	m	*f*	*n*
nom	ein	eine	ein
acc	einen	eine	ein
dat	einem	einer	einem

Negative article (kein, keine, kein)

	singular		
	m	*f*	*n*
nom	kein	keine	kein
acc	keinen	keine	kein
dat	keinem	keiner	keinem

	plural
	all genders
nom	keine
acc	keine
dat	keinen

Possessive adjectives

singular	plural
mein	unser
dein	euer
Ihr	Ihr
sein	ihr
ihr	
sein	

To find the right endings for these adjectives, look at the table for negative articles above.

Personal pronouns

	nom	acc	dat
singular	ich du Sie er sie es	mich dich Sie ihn sie es	mir dir Ihnen ihm ihr ihm
plural	wir ihr Sie sie	uns euch Sie sie	uns euch Ihnen ihnen

Adjective endings

If an adjective stands before a noun in German it has an ending.

	singular			plural
	m	*f*	*n*	*all genders*
nom	der ___e ein ___er	die ___e eine ___e	das ___e ein ___es	die ___en zwei ___e
acc	den ___en einen ___en	die ___e eine ___e	das ___e ein ___es	die ___en zwei ___e
dat	dem ___en einem ___en	der ___en einer ___en	dem ___en einem ___en	den ___en zwei ___en

Prepositions

Prepositions taking the accusative

entlang	*along*	Wir gehen hier **die** Straße **entlang**.
für	*for*	Das ist ein Geschenk **für meinen** Opa.
ohne	*without*	**Ohne meine** Freunde gehe ich nicht in die Disco.

Prepositions taking the dative

aus	*from/out of*	Ich komme **aus** Deutschland. Er ist **aus dem** Haus gekommen.
bei	*at/with*	Ich habe das **bei** C&A gekauft. Ich wohne **bei meinen** Eltern.
gegenüber	*opposite*	Die Schule ist **gegenüber dem** Park.
mit	*with*	Ich gehe **mit meiner** Mutter einkaufen.
nach	*after/to*	**Nach dem** Essen gehe ich in die Stadt. Ich fahre **nach** England.
von	*from*	Das habe ich **von meinen** Eltern.
zu	*to*	Ich gehe **zu meiner** Freundin.

Prepositions taking the accusative or the dative

an	*at/by*	Ich gehe **ans** Fenster. Ich stehe **am** Fenster.
auf	*on top of*	Stell bitte die Vase **auf den** Tisch. Die Vase steht **auf dem** Tisch.
hinter	*behind*	Ich gehe **hinter das** Haus. Ich bin **hinter dem** Haus.
in	*in/into*	Er geht heute **ins** Kino. Er war heute **im** Kino.
neben	*next to*	Stelle dich **neben deine** Freundin! Bleibe **neben deiner** Freundin stehen!
vor	*in front of*	Stelle dich **vor den** Baum! Bleibe **vor dem** Baum stehen!
zwischen	*between*	Ich gehe **zwischen meine** Eltern. Ich stehe **zwischen meinen** Eltern.

Verbs

The present tense

The present tense is used to say what is happening now: **Ich gehe** zur Schule.
or what will happen in the future: **Er fährt morgen** nach Spanien.

Weak verbs

ich male	wir malen
du malst	ihr malt
	Sie malen
er/sie/es malt	sie malen

Strong verbs

ich lese	wir lesen
du liest	ihr lest
	Sie lesen
er/sie/es liest	sie lesen

Separable verbs

ich sehe fern	wir sehen fern
du siehst fern	ihr seht fern
	Sie sehen fern
er/sie/es sieht fern	sie sehen fern

Auxiliary verbs

ich bin	wir sind
du bist	ihr seid
	Sie sind
er/sie/es ist	sie sind

ich habe	wir haben
du hast	ihr habt
	Sie haben
er/sie/es hat	sie haben

The imperfect tense

The imperfect tense is used mainly in writing, to say what happened in the past: **Ich war** in Spanien.
Wir hatten gutes Wetter.

Auxiliary Verbs

ich war	wir waren	ich hatte	wir hatten
du warst	ihr wart	du hattest	ihr hattet
	Sie waren		Sie hatten
er / sie / es } war	sie waren	er / sie / es } hatte	sie hatten

The perfect tense

The perfect tense is used when speaking about what happened in the past: **Ich habe** in einem Hotel **gewohnt**.
Wir sind mit dem Auto **gefahren**.

Weak verbs

ich habe gemalt	wir haben gemalt
du hast gemalt	ihr habt gemalt
	Sie haben gemalt
er / sie / es } hat gemalt	sie haben gemalt

Strong verbs

ich habe gelesen	wir haben gelesen
du hast gelesen	ihr habt gelesen
	Sie haben gelesen
er / sie / es } hat gelesen	sie haben gelesen

Separable verbs

ich habe ferngesehen	wir haben ferngesehen
du hast ferngesehen	ihr habt ferngesehen
	Sie haben ferngesehen
er / sie / es } hat ferngesehen	sie haben ferngesehen

Verbs with prefixes 'be-', 'ent-', 'ver-'

ich habe verloren	wir haben verloren
du hast verloren	ihr habt verloren
Sie haben verloren	Sie haben verloren
er / sie / es } hat verloren	sie haben verloren

Modal verbs

There are six modal verbs.
They are **dürfen**, **können**, **mögen**, **müssen**, **sollen**, and **wollen**.

ich kann	wir können	ich mag	wir mögen	ich will	wir wollen
du kannst	ihr könnt	du magst	ihr mögt	du willst	ihr wollt
	Sie können		Sie mögen		Sie wollen
er / sie / es } kann	sie können	er / sie / es } mag	sie mögen	er / sie / es } will	sie wollen

Look back at p.128 for **dürfen**, **müssen**, and **sollen**.

Table of strong and irregular verbs

	Infinitive	Irreg. present	Past participle	English
	anfangen	fängt an	angefangen	to begin
	anhaben	hat an	angehabt	to wear
	backen	bäckt	gebacken	to bake
	beginnen		begonnen	to begin
*	bleiben		geblieben	to stay
	bringen		gebracht	to bring
	denken		gedacht	to think
	dürfen	darf	gedurft	to be allowed to
	essen	ißt	gegessen	to eat
*	fahren	fährt	gefahren	to drive/go
*	fallen	fällt	gefallen	to fall
	fernsehen	sieht fern	ferngesehen	to watch TV
	finden		gefunden	to find
	fliegen		geflogen	to fly
			Ich *bin* nach England geflogen.	
			Sie *hat* das Flugzeug geflogen.	
	geben	gibt	gegeben	to give
*	gehen		gegangen	to walk/go
	gewinnen		gewonnen	to win
	haben	hat	gehabt	to have
	hängen		gehangen	to hang
	heißen		geheißen	to be called
	helfen	hilft	geholfen	to help
*	kennen		gekannt	to know
	kommen		gekommen	to come
	können	kann	gekonnt	to be able to
	laufen	läuft	gelaufen	to run
			Sie *ist* nach Hause gelaufen.	
			Sie *hat* in einem Marathon gelaufen.	
	lesen	liest	gelesen	to read
	liegen		gelegen	to lie
	lügen		gelogen	to lie (not tell the truth)
	mögen	mag	gemocht	to like
	müssen	muß	gemußt	to have to
	nehmen	nimmt	genommen	to take
	reiten		geritten	to ride
			Er *ist* nach Frankfurt geritten.	
			Sie *hat* ein weißes Pferd geritten.	
	rufen		gerufen	to call
	scheinen		geschienen	to shine
	schlafen	schläft	geschlafen	to sleep
	schreiben		geschrieben	to write
	schwimmen		geschwommen	to swim
			Sie *ist* über der Kanal geschwommen.	
			Er *hat* sehr gut geschwommen.	

Infinitive	Irreg. present	Past participle	English
sehen	sieht	gesehen	to see
* sein	ist	gewesen	to be
singen		gesungen	to sing
sitzen		gesessen	to sit
sollen	soll	gesollt	to ought to
sprechen	spricht	gesprochen	to speak
stehen		gestanden	to stand
stehlen	stiehlt	gestohlen	to steal
* steigen		gestiegen	to climb
* sterben	stirbt	gestorben	to die
tragen	trägt	getragen	to carry/wear
treffen	trifft	getroffen	to meet
(Sport) treiben		getrieben	to do (sports)
trinken		getrunken	to drink
verbieten		verboten	to forbid
vergessen	vergißt	vergessen	to forget
verlieren		verloren	to lose
* verschwinden		verschwunden	to disappear
werden	wird	geworden	to become
wissen	weiß	gewußt	to know
wollen	will	gewollt	to want

*Verbs marked with an asterisk are always conjugated with **sein**.

Word order

Verbs

In a German sentence or main clause the verb is
always the second idea: Ich **fahre** nach Spanien.
Am Montag **gehe** ich zur Schule.

Past participles and infinitives

Past participles and infinitives usually stand at
the end of a clause: Ich bin nach Spanien **gefahren**.
Kannst du Fußball **spielen**?

Wenn

In a subordinate clause **wenn** sends the verb to the end:
Ich gehe zur Schule, wenn ich sechs **bin**.

Time, place

In German, the idea of time comes before place: Ich treffe dich **um sechs im Park**.

Plurals of nouns

Masculine nouns

a Masculine nouns ending in **-el**, **-en**, **-er**
do not usually change for the plural: der Schüler → die Schüler
der Spiegel → die Spiegel
der Kuchen → die Kuchen
although some acquire an Umlaut: der Vater → die Väter

b The majority of masculine nouns form
their plural by adding **-e** or **¨e**: der Arm → die Arme
der Gast → die Gäste

c A few form their plural by adding **¨er**: der Mann → die Männer
Others add **-s**: der Park → die Parks

Feminine nouns

a The majority of feminine nouns form their plural
by adding **-n** or **-en**: die Bluse → die Blusen
die Frau → die Frauen

b Feminine versions of masculine nouns form
their plural by adding **-nen**: die Freundin → die Freundinnen

c A few feminine nouns add **¨e**: die Nacht → die Nächte

d Two add **¨**: die Mutter →
die Tochter → die Mütter
die Töchter

Neuter nouns

a Neuter nouns ending in **-el**, **-en**, **-er**
stay the same in the plural: das Brötchen → die Brötchen
das Schnitzel → die Schnitzel
das Messer → die Messer

b Most neutral nouns form their plurals by
adding **-e**: das Bein → die Beine

c Others add **-er** or **¨er**: das Bild → die Bilder
das Buch → die Bücher

d A few add **-n** or **en** in the plural: das Auge → die Augen
das Bett → die Betten

e A few (usually of foreign origin) add **-s**: das Radio → die Radios

German-English Vocabulary

Here is an alphabetical list of all the German words you will find in this book with their English translation. The gender is given for nouns and the plural form if you are likely to want to use it. The plural form is in brackets after the noun. Here are some examples of how to use the information:

Singular	*Plural*
das **Kino** (–s)	die **Kinos**
der **Film** (–e)	die **Filme**
das **Kind** (–er)	die **Kinder**
der **Hamster** (–)	die **Hamster**
das **Buch** (¨–er)	die **Bücher**

der **Abend** (–e) evening
abends in the evening
aber but
die **Abfahrt** (–en) departure
das **Abzeichen** (–) transfer, badge
acht eight
Achtung! caution!
achtzehn eighteen
achtzig eighty
die **Adresse** (–n) address
allein alone
das **Alter** age
amerikanisch American
die **Ampel** (–n) traffic lights
an on, at
anders different
der **Anfang** beginning
angekommen arrived
angeln to fish, go fishing
die **Ankunft** arrival
der **Anorak** (–s) anorak
anprobieren to try on
die **Antwort** (–en) answer
antworten to answer
der **Apfelsaft** apple juice
der **Apfelstrudel** (–) apple pastry
die **Apotheke** (–n) chemist's
der **Apotheker** (–) chemist (man)
die **Apothekerin** (-nen) chemist (woman)
April April
die **Arbeit** work
arbeiten to work
arbeitslos unemployed
der **Arm** (–e) arm
der **Arzt** (¨–e) doctor
auch too
auf on, in, open
auf Wiedersehen goodbye
aufhören to stop
aufmachen to open
das **Auge** (–n) eye
August August
aus from, out of
der **Ausflug** (¨–e) excursion
der **Ausgang** exit
ausgehen to go out
ausnahmslos without exception
außer except
der **Ausweis** (-e) identity card
das **Auto** (–s) car
die **Autofahrt** (–en) car trip
der **Automechaniker** (–) car mechanic

der **Bäcker** (–) baker (man)
die **Bäckerei** baker's
die **Bäckerin** (-nen) baker (woman)
das **Bad** bathroom
der **Bahnhof** (¨–e) station
bis bald see you soon
der **Balkon** (–s) balcony
das **Ballett** ballet
die **Banane** (–n) banana
die **Bank** (–en) bank
der **Bankbeamte** (–n) bank clerk
die **Bankbeamtin** (–nen) bank clerk
die **Banknote** (–n) banknote
basteln to make models
der **Bauch** belly
Bauchschmerzen tummy ache
bauen to build
die **Bedienung** service
beginnen to begin
der **Behälter** (–) container
bei with, at, by
bei dir at your house
beigelegt included
beilegen to include
das **Bein** (–e) leg
das **Beispiel** (–e) example
bekommen to receive
das **belegte Brot** sandwich
der **Berg** (–e) mountain
bergsteigen to climb mountains
der **Bergsteiger** (–) mountaineer
der **Beruf** (–e) profession, job
berühmt famous

beschreiben to describe

die **Beschreibung** (–en) description

besichtigen to visit

besonders especially

am **besten** best

der **Besuch** (–e) visit

zu **Besuch** visiting

besuchen to visit

Besuchszeiten visiting times

Betriebsferien business holidays

das **Bett** (–en) bed

sich **bewerben** to apply

das **Bier** beer

bieten to offer

das **Bild** (–er) picture

billig cheap

ich **bin** I am

Biologie biology

bis till

bis zu up to

du **bist** you are

bitte please, here you are

blau blue

bleiben to stay

der **Bleistift** (–e) pencil

blitzen to be lightning

die **Bluse** (–n) blouse

der **Boden** (–) floor

der **Bonbon** (–s) sweet

die **Bootsfahrt** (–en) boat trip

das **Bord** (–e) work surface

brauchen to need

braun brown

breit wide

der **Brief** (–e) letter

der **Brieffreund** (–e) pen-friend (boy)

die **Brieffreundin** (–nen) pen-friend (girl)

der **Briefkasten** (–) post-box

die **Briefmarke** (–n) postage stamp

die **Brille** (–n) glasses

britisch British

das **Brot** (–e) bread

das **Brötchen** (–) bread roll

der **Bruder** (¨–) brother

das **Buch** (¨–er) book

bunt coloured

das **Büro** (–s) office

der **Bus** (–se) bus

die **Bushaltestelle** (–n) bus-stop

die **Butter** butter

das **Café** (–s) café

der **Campingbus** (–se) dormer van

der **Campingplatz** (¨–e) camping site

der **Champignon** (–s) mushroom

die **Cola** coca cola

der **Computer** (–) computer

der **Cousin** (–s) cousin (boy)

die **Cousine** (–n) cousin (girl)

da there

dahinfahren to get there

damit with it/them

danke thank you

danke schön many thanks

dann then

das that, the

das **Datum** date

dazu in addition

dein your

denn then

deshalb therefore

deutsch German

Dezember December

der **Dialog** (–e) dialogue

dich you

dick fat

Dienstag Tuesday

diese this (*f*)

dieser this (*m*)

dieses this (*n*)

dir (to) you

der **Direktor** (–en) headmaster

die **Direktorin** (–nen) headmistress

die **Disco** (–s) disco

die **Diskothek** (–en) discotheque

doch! oh yes (it is)!

donnern to thunder

Donnerstag Thursday

doof stupid

das **Doppelhaus** (¨–er) semi-detached house

das **Doppelzimmer** (–) double room

Dornröschen Sleeping Beauty

dort there

die **Dose** (–n) tin

dreh dich um turn around

drei three

dreieckig triangular

dreißig thirty

dreizehn thirteen

dritt third

die **Drogerie** (–n) chemist's

der **Drogist** (–en) chemist (man)

drüben over there

du you

dummerweise stupidly

dunkel dark

der **Durchgang** way through

die **Ecke** (–n) corner

die **Ehe** marriage

ehrlich honestly

das **Ei** (–er) egg

ein a, an, one

einfach one way

einfach Klasse! simply great!

das **Einfamilienhaus** (¨–er) detached house
der **Eingang** entrance
einkaufen to go shopping
der **Einkaufsbummel** shopping trip
einladen to invite
einmal once
eins one
die **Eintrittskarte** (–n) entrance ticket
einwerfen put in (money)
das **Einzelkind** (–er) only child
das **Einzelzimmer** (–) single room
das **Eis** (–) ice-cream
der **Elefant** (–en) elephant
elf eleven
Eltern parents
eng narrow, tight
englisch English
entlang along
Entschuldigung excuse me
er he
das **Erdgeschoß** ground floor
Erdkunde geography
erfinden to invent
erobern to conquer
erst first
erstmal first
erwarten to expect
es gibt there is
die **Eßecke** dining corner
essen to eat
das **Eßzimmer** dining-room
etwas something
euch you
eure your

die **Fabrik** (–en) factory
das **Fach** (¨–er) subject
fahren to travel
falsch false
die **Familie** (–n) family
fang an! start!
fangen to catch
die **Farbe** (–n) colour
Fastnacht mardi gras
Februar February
feiern to celebrate
der **Feiertag** (–e) bank holiday
das **Fell** animal's coat
das **Fenster** (–) window
Ferien holidays
die **Ferienwohnung** (–en) holiday flat
der **Fernseher** (–) TV set
fertig finished
das **Fest** (–e) celebration
Fieber temperature
der **Film** (–e) film
finden to find
die **Flasche** (–n) bottle
das **Fleisch** meat
die **Fleischerei** butcher's
der **Flohmarkt** flea market
der **Flug** (¨–e) flight
der **Flur** hall
folgen to follow
die **Forelle** (–n) trout
die **Form** (–en) shape
das **Foto** (–s) photo
das **Fotoapparat** (–e) camera
fotografieren to take photos
die **Frage** (–n) question
fragen to ask
französisch French
die **Frau** (–en) Mrs, Ms, woman
das **Fräulein** Miss, Ms
frei free
das **Freibad** (¨–er) open-air pool
freihalten to keep clear
Freitag Friday
ich **freue mich auf** I'm looking forward to
sich **freuen auf** to look forward to
der **Freund** (–e) friend (boy)
die **Freundin** (–nen) friend (girl)
freundlich friendly
frisch fresh
der **Frühling** spring
das **Frühstück** breakfast
der **Führerschein** driving-licence
der **Füller** fountain-pen
fünf five
fünfzehn fifty
fünfzig fifteen
furchtbar terrible
der **Fuß** (Füße) foot
zu **Fuß** on foot
der **Fußball** (¨–e) football
das **Fußballstadion** football stadium
die **Fußgängerzone** (–n) pedestrian area

es **gab** there was/were
ganz quite
ganz schön really
gar nicht not at all
der **Gast** (¨–e) guest (man)
geangelt gone fishing
geboren been born
gebrochen broken
das **Geburtsdatum** date of birth
der **Geburtstag** birthday
geehrt honoured; **sehr geehrte(r)** dear
gehört heard
gefahren travelled
gefallen to please, like
gefangen caught
geflogen flown
gefunden found
gegangen walked, gone
gegen against
der **Gegenstand** (¨–e) article
gegenüber opposite
gegessen eaten
gegrillt grilled
gehen to go

geht das? is that all right?
gehören to belong to
gehört heard
gekauft bought
geklettert climbed
gelb yellow
das **Geld** money
gelegen lain
gemacht done
das **Gemüse** vegetables
der **Gemüsehändler** (–) greengrocer (man)
der **Gemüseladen** (–) greengrocer's
genau exactly
geradeaus straight on
geregnet rained
gern like
geschneit snowed
die **Gesamtschule** (–n) comprehensive school
das **Geschenk** (–e) present
Geschichte history
geschieden divorced
geschmeckt tasted nice
geschrieben written
geschwommen swum
gesegelt sailed
gesehen seen
gespielt played
gestattet permitted
gestern yesterday
gestiegen climbed
gestreift striped
die **Gesundheit** health
getanzt danced
die **Getränkekarte** drinks list
gewandert hiked
das **Gewitter** (–) storm
gewohnt lived
gezeigt shown
geöffnet open
es **gibt** there is/are
das **Glas** (–) glass
gleich same, right away
gnädige Frau Madam
der **Goldfisch** (–e) goldfish
Gott sei dank thank God
grau grey
die **Grenze** (–n) border
grillen to grill
die **Grippe** flu
groß big
die **Größe** size
grün green
die **Grundschule** primary school
der **Gruß** (¨–e) greeting
Grüß dich! hello
gucken to look
der **Gürtel** (–) belt
gut good, well
das **Gymnasium** (Gymnasien) grammar school

haben to have
das **Hähnchen** (–) chicken
hallo hello
der **Hals** neck, throat
die **Haltestelle** (–n) stop
der **Hamster** (–) hamster
die **Hand** (¨–e) hand
der **Handballkurs** handball course
der **Handschuh** (–e) glove
du **hast** you have
er **hat** he has
hat's geschmeckt? did that taste OK?
der **Hauptbahnhof** main station
die **Hauptstadt** capital city
das **Haus** (¨–er) house
Hausaufgaben homework
nach **Hause** home
zu **Hause** at home
die **Hausfrau** (–en) housewife
Hauswirtschaft home economics
das **Heft** (–e) exercise book
heilig holy
heiraten to marry
heiß hot
heißen to be called
helfen to help
hell light
das **Hemd** (–en) shirt
der **Herbst** autumn
der **Herr** (–en) Mr, man
heute today
hier here
die **Himbeere** (–n) raspberry
hin there
hin und zurück return (ticket)
hinfahren to go there
hinter behind
das **Hobby** (–s) hobby
holen to fetch
holländisch Dutch
hör auf! stop!
hör zu! listen!
die **Hose** (–n) trousers
das **Hotel** (–s) hotel
der **Hund** (–e) dog
hundert hundred
der **Husten** cough

ich I
ihm (to) him
ihnen (to) them
Ihnen (to) you
ihr (to) her, you
die **Imbißstube** (–n) snack bar
in in
in Ordnung fine
inbegriffen included
der **Informationsschalter** (–) information desk
die **Insel** (–n) island
insgesamt altogether
interessant interesting
die **Interesse** (–n) interest
sich **interessieren** to be interested
das **Interview** (–s) interview
irisch Irish

Irland Ireland
ißt eat, eats
ist is
italienisch Italian

ja yes
die **Jacke** (–n) jacket
das **Jahr** (–e) year
Jahre alt years old
Januar January
jeder every
die **Jeans** jeans
jetzt now
der **Joghurt** yoghurt
die **Jugendherberge** (–n) youth hostel
Juli July
der **Junge** (–n) boy
jung young
Juni June

der **Kaffee** coffee
der **Kakao** cocoa
kalt cold
das **Kaninchen** (–) rabbit
kann can
das **Kännchen** (–) pot
die **Kantine** (–n) canteen
das **Kanu** (–s) canoe
kaputt broken
kariert checked
die **Kartoffel** (–n) potato
der **Käse** cheese
das **Käsebrot** (–e) cheese sandwich
der **Kassenbon** (–s) receipt
die **Kassette** (–n) cassette
die **Katze** (–n) cat
kaufen to buy
das **Kaufhaus** (¨–er) store
die **Kegelbahn** (–en) bowling alley
kein no, none
der **Keks** (–e) biscuit
der **Kellner** (–) waiter
die **Kellnerin** (–nen) waitress
kennengelernt got to know
kennenlernen to get to know
die **Kerze** (–n) candle
die **Kette** (–n) necklace
das **Kilo** (–) kilogram
das **Kilometer** (–) kilometre
das **Kind** (–er) child
der **Kindergarten** nursery school
das **Kino** (–s) cinema
die **Kirche** (–n) church
die **Klasse** (–n) class
das **Klassenzimmer** (–) classroom
klassisch classical
das **Kleid** (–er) dress
Kleider clothes
der **Kleiderschrank** (¨–e) wardrobe
klein small
klingeln to ring
das **Knie** (–) knee
kochen to cook
der **Koffer** (–) suitcase
kommst du mit? are you coming?
kommt an arrives
kompliziert complicated
die **Konditorei** (–en) cake shop
können can
der **Konzertsaal** concert hall
das **Konzert** (–e) concert
der **Kopf** (¨–e) head
Kopfschmerzen headache
korrekt correct
die **Kosmetik** (–a) cosmetics
kosten to cost
der **Kragen** (–) collar
krank ill
das **Krankenhaus** (¨–er) hospital
der **Krankenpfleger** (–) nurse (man)
die **Krankenschwester** (–n) nurse (woman)
die **Krawatte** (–n) tie
die **Kreuzung** crossroads
die **Küche** (–n) kitchen
der **Kuchen** (–) cake
kühl cool
der **Kuli** (–s) ballpoint
der **Kunde** (–n) customer (man)
die **Kundin** (–nen) customer (woman)
Kunst art
kurz short

lachen to laugh
die **Lampe** (–n) light
das **Land** (¨–er) country
lang long
langsam slow
langweilig boring
lassen to let
Latein Latin
laufen to walk, run
läuft (a film) is on
laut loud
leben to live
die **Lebensgefahr** danger of death
der **Lebenslauf** (¨–e) curriculum vitae
die **Lebensmittel** groceries
das **Leder** leather
die **Lederjacke** (–n) leather jacket
lege bei enclose
der **Lehrer** (–) teacher (man)
die **Lehrerin** (–nen) teacher (woman)
leicht easy
die **Leine** (–n) lead
leise quiet
Leistungsfächer option subjects
lesen to read
letzt last
Leute people

lieb dear
das **Lieblingsfach** (¨–er) favourite subject
die **Limonade** lemonade
das **Lineal** (–e) ruler
die **Linie** (–n) (bus) number
links left
das **Liter** (–) litre
lockig curly
losfahren to set off
losgefahren set off
lustig funny

machen to do
macht auf opens
macht zu closes
das **Mädchen** (–) girl
ich **mag** I like
der **Magen** stomach
Magenschmerzen stomach ache
Mai May
der **Main** River Main
das **Mal** time
malen to paint
man one, you, they
die **Mark** (–) mark
die **Marke** (–n) make, brand
der **Marktplatz** (¨–e) market place
die **Marmelade** jam
März March
Mathe maths
die **Maus** (¨–e) mouse
der **Mechaniker** (–) mechanic (man)
die **Mechanikerin** (–nen) mechanic (woman)
die **Medizin** medicine
das **Meerschweinchen** (–) guinea-pig
mehr more
die **Mehrwertsteuer** VAT
die **Meile** (–n) mile
mein my
Mensch! Heavens!
die **Messe** mass
messen to measure
das **Metall** metal
das **Meter** (–) metre
die **Metzgerei** butcher's shop
der **Metzger** (–) butcher (man)
die **Metzgerin** (–nen) butcher (woman)
mich me
die **Milch** milk
minderjährig under 18
mir (to) me
mit with, by
mitgebracht brought along
mitkommen to come along
mittags at lunchtime
mittel- mid-
mittelmäßig moderate
Mittwoch Wednesday
möchten would like
modern modern
mögen to like
der **Mokka** coffee
der **Monat** (–e) month
Montag Monday
der **Morgen** (–) morning
morgen tomorrow
morgens in the morning
die **Mosel** River Moselle
das **Motorrad** (¨–er) motorbike
der **Mund** mouth
die **Münze** (–n) coin
das **Museum** museum
die **Mutter** (¨–) mother
Mutti Mum
die **Mütze** (–n) cap

na well
nach to
nachmittags in the afternoon
die **Nachspeise** (–n) dessert
nächst nearest
die **Nacht** (¨–e) night
nachts at night
der **Nachttisch** (–e) bedside table
der **Name** (–n) name
die **Nase** (–n) nose
naß wet
natürlich of course
Naturwissenschaft science
neben next to
neblig foggy
nehmen to take
nein no
nervig unnerving
nett nice
neu new
neun nine
neunzehn nineteen
neunzig ninety
nicht not
nicht wahr! isn't it?
nichts nothing
der **Niersteiner** wine from Nierstein
noch even
nord north
die **Nordsee** North Sea
der **Notausgang** (¨–e) emergency exit
November November
null nought
die **Nummer** (–n) number
nur only

Herr **Ober!** waiter!
das **Obst** fruit
oder or
das **Ohr** (–en) ear
Ohrenschmerzen earache
der **Ohrring** (–e) earring
Oktober October
die **Oma** (–s) granny
der **Onkel** (–s) uncle
der **Opa** (–s) grandad
orange orange

der **Orangensaft** orange juice
der **Ort** (–e) place
ost east
Ostern Easter
Österreich Austria
österreichisch Austrian

das **Paar** (–e) pair
ein paar some
das **Paket** (–e) parcel
das **Parfum** perfume
der **Park** (–s) park
das **Parkett** stalls (theatre)
der **Partner** (–) partner (boy)
die **Partnerin** (–nen) partner (girl)
die **Party** (–s) party
passen to fit
der **Paß** (⸚e) passport
die **Paßnummer** (–n) passport number
die **Pension** (–en) bed and breakfast
die **Person** (–en) person
der **Personenkraftwagen** (–) car
der **Pfennig** (–e) pfennig
das **Pferd** (–e) horse
Pfingsten Whitsun
der **Pfirsich** (–e) peach
das **Pflaster** (–) plaster
das **Pfund** (–) pound
Physik physics
das **Picknick** (–s) picnic
die **Pilzsoße** mushroom sauce
der **Pkw** (–s) car
die **Plastik** plastic
die **Platte** (–n) record
der **Plattenspieler** (–) record player
der **Platz** (⸚e) square
der **Po** bottom
die **Politik** politics
Pommes frites chips
das **Portemonnaie** (–s) purse
die **Portion** (–n) portion
das **Porzellan** china
die **Post** post office
das **Poster** (–) poster
die **Postkarte** (–n) postcard
die **Postleitzahl** postcode
Pralinen chocolates
prima great
pro per
der **Pullover** (–) pullover

das **Rad** (⸚er) bicycle
radfahren to cycle
der **Radiergummi** (–s) rubber
das **Radio** (–s) radio
der **Rang** circle (theatre)
das **Rasierwasser** aftershave
das **Rathaus** (⸚er) town hall
das **Rätsel** (–) puzzle
rauchen to smoke
die **Realschule** (–n) secondary school
Rechnen arithmetic
die **Rechnung** (–en) bill
recht haben to be right
rechts right
das **Regal** (–e) shelves
der **Regenschirm** (–e) umbrella
regnen to rain
das **Reihenhaus** (⸚er) terraced house
die **Reise** (–n) journey
der **Reisescheck** (–s) travellers cheque
reiten to ride
reservieren to book
der **Rhein** River Rhine
richtig true, correct
riesig huge
der **Ring** (–e) ring
der **Rock** (⸚e) skirt, kilt
Rollschuh laufen to go roller-skating
der **Rollstuhl** (⸚e) wheelchair
rot red
der **Rücken** back
der **Rucksack** (⸚e) rucksack
Ruhe! silence!
rund round

die **S-Bahn** suburban railway
die **Sache** (–n) thing
Sachkunde humanities
der **Saft** (⸚e) juice
sag mal tell me
die **Sahne** cream
der **Salat** (–e) salad
das **Salz** salt
sammeln to collect
Samstag Saturday
die **Sandale** (–n) sandal
sauber clean
die **Schachtel** (–n) box
schade what a pity
die **Schallplatte** (–n) record
die **Schallplattenabteilung** record department
schauen to look
der **Schaukelstuhl** (⸚e) rocking chair
schicken to send
das **Schiff** (–e) ship
das **Schild** (–er) sign
der **Schinken** ham
schlafen to sleep
der **Schlafraum** (⸚e) dormitory
das **Schlafzimmer** (–) bedroom
schlank slim
das **Schloß** (⸚er) castle
der **Schlüssel** (–) key
schmecken to taste (nice)
Schmerzen pains
schneien to snow
schnell quick
das **Schnitzel** (–) cutlet
der **Schnupfen** cold

die **Schokolade** chocolate
schön nice, fine
schottisch Scottish
Schottland Scotland
der **Schrank** (¨–e) cupboard
schreiben to write
der **Schuh** (–e) shoe
die **Schule** (–n) school
der **Schüler** (–) pupil (boy)
die **Schülerin** (–nen) pupil (girl)
schwarz black
die **Schweiz** Switzerland
schweizer Swiss
schwer hard
die **Schwester** (–n) sister
das **Schwimmbad** (¨–er) swimming pool
schwimmen to swim
sechs six
sechzehn sixteen
sechzig sixty
der **See** (–n) lake
die **See** sea
sehen to see
die **Sehenswürdigkeit** (–en) sight (of interest)
sehr very
sehr geehrt dear
sein his
sein to be
die **Seite** (–n) side
senden to send
September September
der **Sessel** (–) armchair
setz dich! sit down!
das **Shampoo** shampoo
sicher sure
Sie you (formal)
sie she, they, her, them
sieben seven
siebzehn seventeen
siebzig seventy
das **Silber** silver
silbern silver coloured
sind are
singen to singen
so so
die **Socke** (–n) ankle sock
das **Sofa** (–s) sofa
sofort right away
sogar even
der **Sommer** summer
das **Sonderangebot** (–e) special offer
die **Sonne** sun
sonnenbaden to sunbathe
die **Sonnenbrille** (–n) sunglasses
sonnig sunny
Sonntag Sunday
sonst else
die **Soße** (–n) gravy, sauce
Sozialkunde social studies
spanisch Spanish
der **Spaß** fun
spät late
wie **spät ist es?** what's the time?
bis **später** see you later
spazieren to walk, stroll
die **Speisekarte** (–n) menu
spielen to play
der **Spitzer** (–) pencil sharpener
das **Sportzentrum** sports centre
sprechen to speak
die **Sprechstunden** surgery hours
der **Sprudel** mineral water
die **Stadt** (¨–e) town
steh auf! stand up!
die **Stelle** (–n) job
das **Stereo** stereo
die **Stereoanlage** (–n) stereo
der **Sticker** (–) badge
der **Stiefel** (–) boot
die **Stiefmutter** stepmother
der **Stiefvater** stepfather
stimmen to be correct
der **Stock** floor
die **Stockwerke** floors
der **Stoff** cloth
die **Straße** (–n) road
die **Straßenbahn** (–en) tram
das **Streichholz** (¨–er) match
stricken to knit
der **Strumpf** (¨–e) long sock
die **Strumpfhose** (–n) tights
das **Stück** (–e) piece
der **Student** (–en) student (man)
die **Studentin** (–nen) student (woman)
der **Stuhl** (¨–e) chair
der **Stundenplan** (¨–e) timetable (school)
der **Stunk** trouble
der **Sturm** (¨–e) storm
süd south
das **Super** 4 star petrol
der **Supermarkt** (¨–e) supermarket
die **Suppe** (–n) soup

die **Tabelle** (–n) grid
die **Tablette** (–n) tablet
die **Tafel** (–n) board
der **Tag** (–e) day
die **Tante** (–n) aunt
tanzen to dance
die **Tasche** (–n) bag
das **Taschenbuch** (¨–er) paperback
das **Taschenmesser** (–) pocket knife
die **Tasse** (–n) cup
tausend thousand
der **Tee** tea
teilen share
das **Telefon** (–e) telephone
telefonieren to phone
die **Telefonzelle** (–n) phone box
der **Teller** (–) plate
der **Teppich** (–e) carpet
teuer expensive
das **Theater** (–) theatre

das **Tier** (–e) pet, animal
der **Tisch** (–e) table
der **Titel** (–) title
die **Toilette** (–n) toilet
die **Tomate** (–n) tomato
die **Torte** (–n) fruit flan
tot dead
die **Traube** (–n) grape
sich **treffen** to meet
treiben to do (a sport)
trinken to drink
tschüs goodbye
die **Tür** door
die **Tüte** bag
es **tut mir leid** sorry
es **tut weh** it hurts
typisch typical

die **U-bahn** underground
überall everywhere
übernachten to spend the night
übrigens what's more
die **Uhr** (–en) watch, clock, o'clock
um at
sich **umwandeln** to turn into
und and
ungarisch Hungarian
Ungarn Hungary
ungefähr about
die **Uniform** (–en) uniform
unmodern out of date
uns us, each other
die **Unterhaltung** entertainment
die **Unterschrift** (–en) signature

der **Vater** (¨–) father
vegetarisch vegetarian
verboten prohibited
vergessen to forget
verheiratet married
der **Verkäufer** (–) salesman
die **Verkäuferin** (–nen) saleswoman
das **Verkehrsamt** tourist office
sich **verlaufen** to get lost
verlobt engaged
die **Verlobung** engagement
der **Verlust** (–e) loss
verschieden various
verstehen to understand
das **Videogerät** (–e) video recorder
viel lots of
vier four
viereckig square
vierzehn fourteen
vierzig forty
violett purple
vollschlank plump
volltanken to fill up
von of
vor in front of
der **Vorhang** (¨–e) curtain
vormittags in the morning
die **Vorwahl** dialling code

wählen to dial
wahnsinnig tremendously
wandern to go hiking
Wanderschuhe walking boots
die **Wanderung** (–en) walk, hike
wann when
war was
waren were
warm warm
warst were
was? what?
die **Waschmaschine** (–n) washing machine
der **Waschraum** (¨–e) washroom
wechseln to change
die **Wechselstube** (–n) bureau de change
weh tun to hurt
Weihnachten Christmas
der **Wein** (–e) wine
das **Weinfest** (–e) wine festival
die **Weinliste** (–n) wine list
weiß white
ich **weiß nicht** I don't know
weit far; wide, baggy
welcher? which?
der **Wellensittich** (–e) budgerigar
wem? to whom?
wen? whom?
wenig little
wenn if, when
wer? who?
werden to become
Werken craft
west west
die **Westküste** west coast
das **Wetter** weather
der **Wetterbericht** weather forecast
wichtig important
wie folgt as follows
wie geht's? how are you?
wie? how? what?
wieder again
wiederholen to repeat
auf **Wiedersehen** goodbye
Wiener Viennese
wieviel? how much?
wie viele? how many?
den **wievielten?** what date?
will want, wants
windig windy
der **Winter** winter
wir we
wirklich really
wo? where?
die **Woche** (–n) week
das **Wochenende** (–n) weekend
woher? from where?

wohin? where to?
der **Wohnblock** (¨–e) block of flats
wohnen to live
der **Wohnort** residence
die **Wohnung** (–en) flat
der **Wohnwagen** (–) caravan
das **Wohnzimmer** (–) lounge
wolkig cloudy
wollen to want
wunderbar wonderful
wünschen to want
die **Wurst** (¨–e) sausage
die **Wüstenratte** (–n) gerbil

zahlen to pay
der **Zahn** (¨–e) tooth
der **Zahnarzt** (¨–e) dentist
Zahnschmerzen toothache
zehn ten
zeichnen to draw
zeigen to show
die **Zeit** (–en) time
das **Zelt** (–e) tent
zelten to camp
das **Zentimeter** (–) centimetre
ziehen to pull
ziemlich quite
der **Zoo** (–s) zoo
zu to, too, shut
der **Zucker** sugar
der **Zug** (¨–e) train
zuletzt last
zum letzten Mal for the last time
zurück back
zurückkommen to return
zusammen together
zuviel too much
zwanzig twenty
zwar to be precise
zwei two
zweimal twice, two
zweit second
Zwillinge twins
zwischen between
zwölf twelve